議会制民主主義の活かし方
──未来を選ぶために

糠塚康江

岩波ジュニア新書　918

目　次

イラスト＝カガワカオリ

プロローグ

若い世代も政治の当事者です

1．一五歳の涙

二〇一九年は、記憶に残る一年になると思います。天皇の代替わりに伴う改元は大きな出来事でしたが、台風と低気圧がもたらした水害と風害に見舞われた年になりました。これから先、元号を西暦に読み替えるたびに、二〇一九年の出来事を思い起こすに違いありません。台風一五号が九月九日に関東に上陸し、千葉県を中心に甚大（じんだい）な被害をもたらしました。首都圏にありながら、高度情報化社会にありながら被害の実態がなかなか把握されなかったこと、ライフラインの復旧が遅れたことに、驚きがありました。ようやく報道関係者が被災地に入ったことで、ゴルフ練習場の鉄柱が住宅街に何本も倒れこみ、住宅の屋根を押しつぶしている光景がテレビで放映されました。これほどのことが起こったのに「なぜ知らずにいたのか」、という衝撃を受けました。住宅被害の責任の所在をめぐる争いで時間が過ぎていくなか、倒れた鉄柱が撤去されないうちに、一〇月一二日、猛烈な台風が襲来しました。それから一週間も経たずして、低気圧がもたらした大雨にも見舞われました。同じ地域が繰り返し、繰り返し自然の脅威に翻弄（ほんろう）されました。

古来、政治の要諦(ようてい)は、「治山治水(ちさんちすい)」にあります。門井慶喜(かどいよしのぶ)さんの『家康、江戸を建てる』(祥伝社、二〇一六年)で学んだことですが、徳川家康が江戸の開闢(かいびゃく)に成功したのも、利根川の治水工事の賜物でした。河川が氾濫し、住宅街に濁流が流れ込む映像を見ながら、二〇一一年東日本大震災で被災した気仙沼市の階上(はしかみ)中学校の卒業式で、卒業生代表の梶原裕太さんが、歯を食いしばって涙をこらえて読み上げた、答辞(とうじ)を思い出しました。たび重なる洪水の脅威を前にして、梶原さんと同じ体験をした子どもたちの多くが歯を食いしばっているように思えたからです。梶原さんの答辞のなかに、次のような一節がありました。

「階上中学校といえば「防災教育」といわれ、内外から高く評価され、十分な訓練もしていた私たちでした。しかし、自然の猛威(もうい)の前には、人間の力はあまりにも無力で、私たちから大切なものを容赦なく奪っていきました。天が与えた試練というには、むごすぎるものでした。つらくて、悔しくてたまりません。」

「命の重さを知るには大きすぎる代償でした。しかし、苦境にあっても、天を恨まず、運命に耐え、助け合って生きていくことが、これからの私たちの使命です。」

(『平成二二年度　文部科学白書』に全文掲載)

全国ニュースで放送されたこの答辞を聞いた多くの人たちは、困難に打ちのめされても、顔を上げ前に進もうとする一五歳に心を揺さぶられたのではないでしょうか。自然の猛威を前にした人間の弱さに同意しつつも、だからこそ「天を恨まず、運命に耐え、助け合って生きていく」ことに、人々は心から共感したのだと思います。しかし、この高潔な心に、政治が甘えてはいけません。このようなことを一五歳の若者に涙をこらえて言わせてしまったことに、政治は己の無能さを恥じ、罪悪感をもたなければなりません。地域で「防災教育」に励んでも、限界がありました。限界を超える部分は、地域を超える力で支えていく必要があります。そのために国家があります。

国家の基本を定める日本国憲法は、一三条で「すべて国民は、個人として尊重される。生命、自由及び幸福追求に対する国民の権利については、公共の福祉に反しない限り、立法その他の国政の上で、最大の尊重を必要とする」として、国家の使命を明らかにしています。この使命を実現するために、政治があります。日本をはじめ多くの国が採用している政治の仕組みが、「議会制民主主義」です。自分の力でどうにもならずに歯を食いしばる人たちを支えることが、議会制民主主義の目的の一つです。

2. 少女の怒り

前例のない猛暑の夏が終わって、一一月半ばを過ぎても次々に台風が発生するのは、日本の南海上の海水温が高いからだという説明は、天気予報を聞くたびに耳にすることです。そして海水温が高いことは、地球温暖化に由来していることも、おそらく多くの人の常識になっています。化石燃料を燃やすときに出る二酸化炭素（CO_2）が、地球を熱くしているという疑いがあることも広く知られています。私が子どものころ、日本は温帯気候に属すると学びましたが、今では亜熱帯気候に属するのではないかと疑うほど、〈異常〉気象が「常態化」しています。

一九九二年、地球温暖化を食い止めるための気候変動枠組条約が採択され、署名されました。日本政府は、この問題に早くから取り組んできました。一九九七年、京都で開かれた気候変動枠組条約第三回締約国会議（COP3）で議長国としてイニシアチブをとり、「京都議定書」の採択にこぎつけました。これは、先進国にCO_2などの温室効果ガス排出量を減らすように義務を負わせる国際的取り決めです。ところが、京都議定書で義務を負わなかった開発途上国の経済が成長し、エネルギーの使用と温室効果ガスの排出が増大して、先進国を上回るようになりました。そこで、二〇一五年の会議(COP21)でパリ協定が取り決められました。その内容は、気温上昇温度を二度未満、できれば一・五度に抑えるために、今世紀なるべく早い時期に、世界の温室効果ガスの排出量を実質ゼロにするという長期目標をもつ、画期的なものでした。にもかかわらず、各国が提出した削減目標を忠実に実行できたとしても、気温上昇を二度以下に抑えることができず、三度くらい上昇してしまうことが予測されています。現在、地球の平均気温はすでに約一度上がっており、世界各地で異常気象や海面上昇などの悪影響が出ています。平均気温が三度も上がってしまうと、どのような事態が生じるのか、想像するだに恐ろしいことです。

そこで、二〇二〇年に始まるパリ協定を前に、温室効果ガス削減目標を引き上げ、対策を強化することを世界各国に促す目的で、二〇一九年九月二三日、国連本部で、国連気候行動サミットが開催されました。これに先立ち、アントニオ・グテーレス国連事務総長は、平均気温の上昇を一・五度に抑制し、温室効果ガスの排出量を二〇三〇年までに四五%削減して、二〇五〇年までに実質ゼロにすることを呼びかけました。報道によれば、この呼びかけに応えて、七七カ国が二〇五〇年までに排出量を実質ゼロにすることを表明し、七〇カ国がそれぞれの国別削減目標を引き上げるか、対策を強化することを表明しました。また、非国家アクターと呼ばれる政府以外の主体、都市や自治体、企業連合などが積極的に温暖化対策を表明しました。日本は目標引き上げのメンバーに入ることはできませんでした。ＷＷＦ(世界自然保護基金)ジャパンの小西雅子さんによると、国連気候行動サミット二〇一九で日本に期待されていたことは、石炭火力からの脱却計画の発表でした(ＮＨＫ 解説アーカイブス「温暖化対策サミットの意義と日本の課題」(視点・論点))。しかしその意思は示されなかったのです。

日本と対照的な行動をとったのが、スウェーデンの一六歳の少女、グレタ・トゥーンベリさんでした。世界各国のリーダーたちが集まる会議などでスピーチに招かれることが多いグレタさんですが、今回も、国連でスピーチをするために、排気ガスを大量放出する飛行機での移動ではなく、イギリスのプリマスから大西洋を横断する約二週間のヨット旅を敢行してニューヨークに到着しました。

グレタさんが世界から注目される存在となったのは、二〇一八年八月、スウェーデンの総選挙直前に、気候変動阻止を訴えて登校拒否をして国会議事堂前に座り込みを続けたことに始まります。この年、スウェーデンは通常の平均気温より一五度以上も高い三二・五度を観測し、熱波と山火事に襲われました。グレタさんは、地球の気候変動がいかに深刻か思い知ったと言います。グレタさんが学校を休んでストライキをしているのは、地球温暖化で未来がなくなるのであれば、学校へ行く意味がないことを象徴的に示すためです。この運動は世界中の若者たちの共感を呼びました。彼女の意見を支持する学生によるストライキは、「フライデー・フォー・フューチャー」(Fridays For Future：未来のための金曜日)と呼ばれ、世界中の国で行われるようになりました。最初は数人から、そして二〇一九年三月一五日には、世界一一二カ国で一七六九ものストライキが行われ、その参加者は一〇〇万人を超えたと言われています。国連気候行動サミットのタイミングで実施された二〇一九年九月二〇～二七日の「グローバル気候マーチ」には、世界七六〇万人以上が参加したということです。日本では九月二〇日に二三都道府県で実施され、五〇〇〇人以上が参加しました(「九月二〇日→グローバル気候マーチ」https://ja.globalclimatestrike.net/ 参照)。

二〇一九年のダボス会議(世界経済フォーラムが毎年一月にスイス東部の保養地ダボスで開催する年次総会。各国の政財界のトップが、世界経済や環境問題など幅広いテーマで意見交換をします)で、グレタさんは、未来の世代が快適に生きていけるよう、今、変革を起こすために、世界の指導者たちに向かって「火事で家が燃えている時のように、行動してほしいのです」と呼びかけました(https://www.youtube.com/watch?time_continue=2&v=zrF1THd4bUM)。事態はそれほど切迫しているのです。

子どもたちの「不登校」を叱った政治家がいましたが、その前に未来を奪われることへの「恐怖からの自由」を子どもたちに保障しなければなりません。子どもたちに未来に備えて学ぶことが必要だと言うのであれば、政治家は、子どもたちを安心させるための行動を起こさなければなりません。子どもたちに未来があることを確信させなければなりません。政治は、将来世代のために行動する義務を負っています。未来への責任を負っているのです。将来世代の「生命、自由及び幸福追求に対する国民の権利」を守ることも政治の使命です。日本国憲法九七条は、「この憲法が日本国民に保障する基本的人権は、人類の多年にわたる自由獲得の努力の成果であつて、これらの権利は、過去幾多の試練に堪へ、現在及び将来の国民に対し、侵すことのできない永久の権利として信託されたものである」と定めています。

3．路上で異議を申し立てる若者

二〇一九年香港

二〇一九年の香港でも、未来を変えるための若者の活動が活発化しました。一般市民も多数参加したデモが、長期にわたって継続しています。それに伴い、香港警察の警備がエスカレートしたことが「天安門事件」(一九八九年六月四日に起こった、中国の大学生を中心とした、一般市民たちによる民主化を求めたデモ活動で、国家vs.国民との戦争とも呼ばれ、多数の死傷者が出ました)を連想させ、不安をあおりました。

香港はかつてイギリスに統治されていましたが、一九九七年に中国に返還されました。倉田徹・張彧暋(チョウイクマン)『香港――中国と向き合う自由都市』(岩波新書、二〇一五年)によれば、植民地時代、総督府が香港人の社会に介入せず、距離をおいて放置したことで、香港の市民的自由は先進民主主義国並みに発展しました。香港は、特別行政区として、中国でありながら資本主義体制を維持し、イギリス植民地時代の枠組みが認められています(一国二制度)。現在、植民地時代より部分的には民主化が進み、司法が独立し、複数の政党や多様なメディアが政府を監視する仕組みが整っています。二〇一九年二月、香港政府は、香港が犯罪人引き渡し協定を締結していない国・地域の要請に基づいて、容疑者の引き渡しを可能にする「逃亡犯条例」改正案を発表しました。香港の民主派は、この条例改正によって(恣意的な拘束、逮捕、拷問がある)中国本土への引き渡しが可能になり、市民的自由が脅かされて「一国二制度」も崩壊するとして異議を申し立て、デモに発展しました。

　この動きには、二〇一四年の「雨傘運動」という前史があります。「雨傘運動」というのは、警察側が使用する催涙弾から身を守るために、「非暴力」を貫くデモ隊が雨傘等を用いたことに由来しています。香港政府のトップである香港特別行政区行政長官選挙は、立法会議員、区議会議員、全国人民代表大会(全人代)香港代表など一二〇〇人で構成される選挙委員の投票による間接選挙で実施されてきたところ、二〇一七年の行政長官選挙が直接普通選挙で実施される予定になっていました。しかし、実際には全人代常務委員会によって、事実上、親中派のみが出馬できるような枠組みが提示されたため、「真の選挙制度」を求めて学生や民主派が蜂起しました。最終的には、警察などがデモ現場に立てられたテントや物資配給センターなどを強制撤去し、運動は行政長官の直接普通選挙を香港政府に約束させることなく終息しました。二〇一七年の選挙は、間接選挙で実施されました。二〇一九年のデモは、この時獲得できなかった民主的選挙の実現を求めています。「逃亡犯条例」改正案は撤回されましたが、民主化要求は強まりました。

区議会議員選挙は、住民の直接選挙で実施されており、最も民意を表明する選挙といわれています。一一月二四日に実施された選挙では、全四五二選挙区(小選挙区制)で親中派に対抗して民主派が立候補し、民主化の抗議運動に対する香港市民の判断を示す実質的な住民投票となりました。四一三万人が有権者登録をし、そのうち約四〇万人は新有権者でした。投票率は前回を大幅にアップして、中国返還後最高の七一・二%に達しました。投票場前に長い列を作って順番待ちをする市民の姿をニュースで見た人もいると思います。意思を直接表明できる機会を逃すまいとする市民の決意を示した光景でした。選挙前は、親中派七割、民主派三割の議席占有率でした。開票の結果、民主派が八割超の議席を占めるに至りました。

香港の若者が見た日本

先に引用した『香港』の一節で、「雨傘運動」、現在の民主化要求運動でも中心的な役割を果たしている、周庭(シュウテイ)さんが、二〇一五年に初めて来日した際、フェイスブックに、「日本はかなり完璧な民主政治の制度をもっているが、人々の政治参加の度合い、特に若者のそれはかなり低い」、「日本に来て、私は初めて本当の政治的無関心とは何かを知った」、「民主国家にあって、自身が自主的であることができる、自主的でなければならないと意識していないことは、いかに皮肉なことか」と記したことを、紹介しています。

周庭さんがどのような見聞をしてフェイスブックにこのような書き込みをしたのかは知ることはできませんが、投票率をみると、確かに、直近の二〇一九年七月に実施された参議院選挙では、有権者の半分以上の人が投票に赴くことはありませんでした。一〇代の投票率は三二・二八％、二〇代の投票率は三〇・九六％でした。行使しなければ、「選挙権はない」のと同じだというのも、周さんが言う通りかもしれません。選挙という場面でのこのような「無関心」は、おそらく選挙の争点が、自分事に思えなかった側面もあったからではないかと思います。香港の学生たちのデモや市民の抗議活動を目の当たりにした、日本の二〇歳の留学生は、「投票する、言いたいことを言う、警察から不当に暴力的扱いをされない、日本で当たり前と思っていたことが当たり前でないことを実感した」と、インタビューで語っていました。日本の若者にも、香港の若者の思いに共感する力があります。

言葉にすれば政治が変わる

二〇一九年の日本でも、当事者意識をもった高校生たちが、自分の意見を表明する姿を見ることができました。二〇二〇年度から始まる大学入学共通テストに、英語の民間試験の導入が予定されていました。この試験は、受験生の住む地域や、家庭の経済状況によって受験機会に格差が生じ、試験の公平性が確保されないという点に、高校生たちは疑問を抱いていました。高校生たちは、インターネットなどで中止や延期を訴えました。一〇月四日には、文部科学省(以下、「文科省」という)前で、現役の高校生が、中止を求める抗議集会に参加しました。「生徒の声を聴け」、「大学入試をB社に売るな」などのプラカードを掲げ、震える手でマイクを握って現状に疑義を申し立てました。そうしたところ、テレビ番組で、新任の文科大臣が、「自分の身の丈(たけ)に合わせて頑張ってもらえば」などという教育格差を容認するかのような発言を行い(後から「エールを送るつもりだった」と釈明しました)、制度の不備を世間に知らしめるという出来事がありました。とりわけ文科大臣が示した「初年度はいわば精度向上期間」という認識は、現在の高校二年生を「実験台」にするもので、高校生の気持ちを逆(さか)なでしました(二〇一九年一〇月一日、朝日新聞電子版、二〇一九年一〇月三一日、東京新聞電子版)。

英語民間試験実施見送りが決定された一一月一日の夜のニュースで、実施の見送りの感想を求められた高校生が、制度の不備を適切かつ明快に指摘している姿を見ることができました。大臣が「身の丈発言」を「予備校に通っていてずるい」と言うのと同じだと説明したことについて、高校生が、「予備校に行かなくても大学受験はできるが、民間英語試験は受験しないと受験ができない大学があるのだから、まったく別の話だ」と切り返したのは、頼もしくさえありました。どういう経緯で英語民間試験の活用が図られたのか、誰しも疑問に思うでしょう。非公開で行われた有識者会議の「議事録」が一二月二四日になって公開され、専門委員から実施を危惧する声が上がっていたことが明らかになりました(二〇一九年一二月二四日、朝日新聞電子版)。文科省は、問題点が明らかになっていたにもかかわらず、民間英語試験の導入をごり押ししようとしていたことになります。高校生が、「文科省は機能しているのか」と痛烈な批判をしていたのもうなずけます。「政治家が主導し、(優秀な公務員集団である)文科省という専門機関が決めたことなのだから」という空疎な手続き論など、通用しません。当事者意識をもって声を上げれば、局面突破が可能になることを高校生が知らしめたのです。

4. 主権者は政治の当事者

SEALDsの活動

高校生が路上に出て、あるいは野党が開く院内集会に出席して異議申し立てを行いましたが、若者の活動の前例として、デモや集会のイメージを変えたSEALDs（シールズ）（自由と民主主義のための学生緊急行動：Students Emergency Action for Liberal Democracy-s）の貢献があります。SEALDsは、首都圏の大学生が立ち上げた団体で、二〇一五年五月に活動を開始しました。デモや勉強会、街宣活動などの行動を通じて、自分たちが考える国のあるべき姿や未来について、日本社会に問いかけました。関西、東北、沖縄、東海地方にも、派生団体が発足しました。

SEALDsは、労働組合や市民団体とともに、当時国会で審議中であった安全保障関連法案に反対して国会前での抗議デモを呼びかけました。同法案に反対する人たちは、これを「戦争法案」と呼んでいました。日本が戦争をしない国から、不戦のための装置である憲法九条の拘束を解いた国になってしまうのではないかと恐れたからです。集会のたびに多くの人が参集し、国会前を埋め尽くしました。二〇一五年八月三〇日、参加者は、主催者によると霞が関などの周辺地域を含めてのべ約三五万人、警察発表では国会前だけで約三万三〇〇〇人であったといわれています(https://www.huffingtonpost.jp/2015/08/30/story_n_8061286.html)。

SEALDs創立メンバーの一人であった大学四年(当時)の奥田愛基さんは、二〇一五年九月一五日、参議院の安全保障関連法案に関する中央公聴会に野党選任の公述人として出席し、「SEALDsの一員ではなく、個人としての、一人の人間として」の意見陳述を行いました。奥田さんは、「安全保障関連法案」の内容を批判したわけではありません。奥田さんが国会議員に訴えたのは、国会における法案についての説明が不足している点でした。「先日言っていた答弁とはまったく違う説明を翌日に平然とし、野党からの質問に対しても国会の審議は何度も何度も速記が止まるような状況」では、法案に対する不安や疑問が増すばかりで納得できない、安全保障法制が重要であるからこそ、もっと充実した審議をしてほしいと要望しました。報道による情報が不十分なことから、人々は、何が起きているのかを知るために、当時、国会審議の文字起こしをSNSでシェアしていました。すると、知れば知るほど、法案に対する疑問や不安が深まったそうです。奥田さんは、「知る」ために、「理解する」ために、国会議員との「対話」を求めました。納得ができる「説明」を求めたのです。

人々が法案に反対の声を上げようと国会前に集まっているのは、「誰かに言われたからとか、どこかの政治団体に所属しているからとか、いわゆる動員的な発想」からではありませんでした。だからこそ、奥田さんは国会議員に向かって、「この国の在り方について、この国の未来について、主体的に一人ひとり、個人として考え、立ち上がっている」人々に向き合う「個人」でいてほしい、「政治家である前に、派閥に属する前に、グループに属する前に、たった一人の「個」であってください。自分の信じる正しさに向かい、勇気を持って孤独に思考し、判断し、行動してください」、「与野党の皆さん、どうか若者に希望を与える政治家でいてください。国民の声に耳を傾けてください」と呼びかけました(中央公聴会、奥田愛基さんの意見陳述全文掲載：https://iwj.co.jp/wj/open/archives/264668)。

このように大規模な抗議デモが発生し、世論調査では反対が多数という報道がある中、九月一九日深夜、安全保障関連法は国会で可決されました。何事もなかったかのように、与党および一部野党の国会議員たちは、唯々諾々と受動機械のように党議に従って行動しました。SEALDsは、翌二〇一六年八月一五日に解散しました。SEALDsは繰り返し「民主主義とは何だ」と問いかけ、それが国民の「不断の努力」だと明快に示しました。憲法一二条は「この憲法が国民に保障する自由及び権利は、国民の不断の努力によつて、これを保持しなければならない」と定めています。この条項は、憲法学研究者によっても十分には活用されてこなかったものです。SEALDsの活動はこの眠れる条項を活性化した点でも、目覚ましかったと思います。

意見表明嫌い

それでも、日本社会にはデモは特別な人がやることだという見方が、根強くあります。活動中からSEALDsに対しては、「誹謗中傷」に近いさまざまな「批判」が向けられていたといいます。先ほどの意見陳述の中で、奥田さんは、「騒ぎたいだけだ」、「若気の至り」、一般市民のくせに、「何を一生懸命になっているのか」という批判があったと語りました。公共の場だったことから、抑制された批判の紹介にとどまっていたと思います。不安の声を上げたにすぎない学生の名前と顔写真をネット上に「晒す」という、自分は匿名に身を隠して他人の個人情報を拡散してはばからない違法行為を行う人たちが少なからずいたのです。

二〇一六年七月(一八歳選挙権による初の選挙である参議院議員選挙実施)に一八歳、一九歳になる若者を対象にしたアンケート調査によると(二〇一六年四月八日、朝日新聞朝刊)、

「政治や社会問題について、若い人たちがデモで意見を表明することに、共感できますか、共感できませんか」という質問に対して、「共感できる」四一％、「共感できない」四八％で、否定的意見が上回りました。また、「政治や社会問題についてどの程度まで行動したいと思いますか」という質問には、複数回答で、「家族や友人と話す」五五％、「ネットや本などで調べる」三五％、「Twitter や Facebook などで意見を発信する」八％、「自分と近い考えの政治家に投票する」三四％、「デモや集会、NPOなど市民団体に参加する」一％、「選挙運動に参加する」一〇％、「将来、選挙に立候補する」二％、「何もしない」一六％でした。

憲法は、「集会、結社及び言論、出版その他一切の表現の自由は、これを保障する」（二一条一項）と定めています。デモは「動く集会」として、とりわけ反対意見を可視化する重要な表現の自由として、憲法上保障されています。それにもかかわらず、私たちの社会は、その自由を使って意見表明をすることを忌避する社会です。SEALDs に向けられた誹謗中傷は、政府の意向に異議を申し立てる自由を抑圧し、「デモをすると不利益を被る」というリスク情報を社会に拡散する効果をもちました。デモを通して意思表明を行う自由の行使を抑制するという、「嫌な感じ」の空気が支配しているのです。結果として、デモをする自由を行使することによって生じるかもしれない不利益を嫌って、デモによる意思表明をやめておこう、という消極的態度を助長しています。二〇一九年九月二〇日の「グローバル気候マーチ」にも、ヤジを飛ばされるなど否定的な意見が飛び交ったということです。こうした風潮は、政治がらみの会話を遠ざける日常を生み出しています。

公聴会の意見陳述で、奥田さんは、SEALDs の活動への批判は、ようするに「おまえは専門家でもなく学生なのに、若しくは主婦なのに、おまえはサラリーマンなのに、フリーターなのに、なぜ声を上げるのか」というものだと言っていました。国民主権の国家において、政治の専門家は主権者です。主婦でも、サラリーマンでも、フリーターでも、主権者であれば政治について発言することは当たり前です。一人ひとりの意見が異なるから、それぞれの意見を持ち寄って、よりよい知恵を見つけていくのが民主政治のプロセスです。民主政治の主体である主権者なのに、政治的な発言をすることがなぜタブー視されるのでしょうか。自ら政策を判断して「政治的自己決定」を行うからこそ、主権者です。政治的に自己決定することを自ら放棄するのは、民主的制度を整えていても、その制度を意味のないものにしてしまいます。政治的無関心は、現状追認というより思考を停止して、未来の選択を他者に委ねることであり、デモへの批判は、民主的制度の使い方を忘却した姿です。周庭さんの言葉は、そういう姿を映し出す鏡かもしれません。

5. 若者の可能性が未来を変える

いまアメリカでは、ミレニアル世代に注目が集まっているそうです。ミレニアル世代とは、二〇〇〇年以降に成人・社会人となる世代を指します。初めてのデジタルネイティブ世代であり、金融危機や格差の拡大、気候変動問題などが深刻化する厳しい社会情勢のなかで育ったことから、過去の世代とは異なる価値観や経済感覚、職業観などを有すると目されています。この世代が注目されるのは、二〇二〇年の大統領選挙で大票田を形成し、従来の世代とは異なった投票行動をし、政治的光景を一変させるかもしれないと考えられているからです。

日本では少子高齢化が急激に進行して人口構造が上の世代に偏っているため、ミレニアル世代が二〇二〇年代に入ってからすぐに大票田を形成することはありません。ミレニアル世代が大票田になるまで待っている間に、世界の変革に追いつかず、日本はガラパゴス化していくほかないのでしょうか。

当の若い世代は、日本の未来をどう考えているのでしょうか。先ほど引用した二〇一六年四月八日の朝日新聞朝刊掲載のアンケートに、次の設問と選択式の答えがありました。

「Q．全体的にいって、現在、幸せだと思いますか」には、「とても幸せ／やや幸せ／あまり幸せでない／まったく幸せでない」、「Q．自分の将来が明るいと思いますか。明るくないと思いますか」には、「明るい／明るくない」、「Q．これからの日本は、どうなっていくと思いますか」には、「よくなる／悪くなる／あまり変わらない」といった組み合わせです。

アンケートの結果は、日本社会の今後は、「あまり変わらない(五一％)」か「悪くなる(三六％)」が、自分は現在「とても幸せ(三四％)」、あるいは「やや幸せ(五五％)」で、「自分の将来は明るい(五九％)」というものでした。他のアンケート項目への回答からすると、新たな有権者たちは、「いまの社会は、収入や就職の面で若い人たちが自立しにくい社会(八二％)」で、「いまの日本の社会にある収入などの格差は、このままにしておいてもよい範囲を超えて行き過ぎている(五九％)」、この格差の原因は、「社会のしくみによる面が大きい(五九％)」とみており、「いまの日本は、努力しても報われない社会(五六％)」で、「いまの年金制度は、自分の老後の暮らしを支えるのに、あてにならない(七六％)」と考えています。

このように自分の帰属している社会が問題山積だという見方を示しながらも、「自分の将来は明るい」という「ポジティブ思考」です。

この結果には、既視感がありました。過去に高校生を対象とした別のいくつかのアンケート結果を調べたことがあるのですが、同様でした。その後、模擬授業で高校生に接するたびに、あるいは大学の新入生に同様の質問をしてみたのですが、やはり傾向は変わりませんでした。自分の帰属している日本社会の先行きが暗いと言いながら、自分の未来は明るいと答えることができるのはなぜなのか。たとえて言うなら、自分の乗っている船が嵐の中に突っ込んでいくかもしれないのに、自分は大丈夫だと思える根拠は何なのか。

私のような世代だと、自分が乗っている日本社会という船が沈没するかもしれないと思ったら、自分の運命も危ういと考えます。ところが、若い世代は、日本の社会の行く末と自分の将来を結びつけません。それは、若い人には選択肢がたくさんあり、夢や希望をかなえる可能性に満ちているからではないでしょうか。利害関係にからめとられていませんから、自分がどこに帰属しているのかも考えないのではないか、と想像しています。使い古された言葉で言えば、「若さの特権」です。自分が当事者として政治課題を考える機会が与えられれば、大学入学共通テストへの英語民間試験導入に反対した高校生のように、若い世代は、自分の将来の可能性を開く方向を選ぶはずです。旧世代とは違う生き方を選ぶ力をもっています。エネルギー量もはるかに大きいと思います。

旧来型の考えが、今日の少子高齢化問題や格差問題を引き起こしているとしたら、新しい考えを取り入れることこそ、社会にとって有効な打開策が見えてくるのではないでしょうか。「こんな社会で生きてみたい」という思いを声に出すことが、政治を動かす一歩です。その考えを率直に表明できるメカニズムとして活用できるのが、議会制民主主義です。活用するために、まず、議会制民主主義のメカニズムを知ることです。取り扱い方を誤ると、あるいは裏技を知らないと、望んだ効果を得られないのはスマートフォンなどの電子機器の扱いと同じです。そして、若い世代を「意見表明嫌い」にさせている「嫌な空気」の正体を知ることです。存外、「幽霊の正体見たり枯れ尾花」であることが多いのです。

6. 本書の構成

日本をはじめ、世界の多くの国々は、「民主主義」を政治理念とし、ほとんどの国では、国民から選挙された「国民代表」である議員から構成される議会によって立法が行われる議会制民主主義(あるいは代表制民主主義)が採用されています。日本国憲法は、前文において、「日本国民は、正当に選挙された国会における代表者を通じて行動」する原則を示して、この趣旨を明らかにしています。そして前文によれば、国政は「国民の厳粛な信託によ

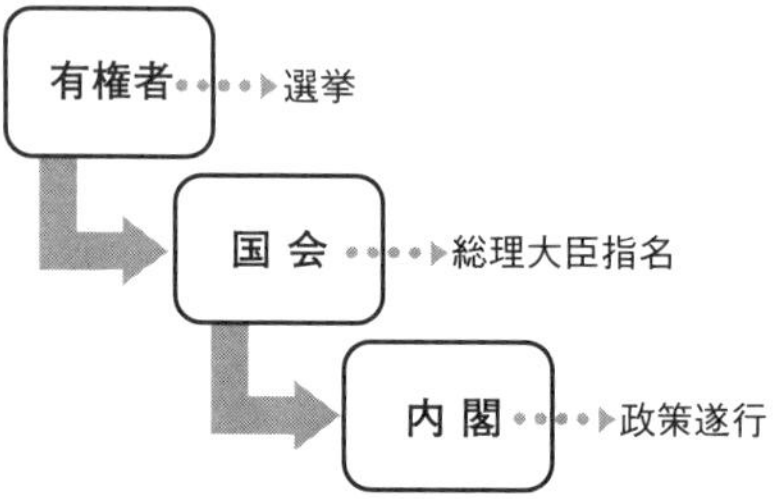

るものであって、その権威は国民に由来し、その権力は国民の代表者がこれを行使し、その福利は国民がこれを享受する」人類普遍の原理に基づくものです。これを表現する言葉としてよく引用されるのが、アメリカ第一六代大統領エイブラハム・リンカーンの「人民の(of the people)人民による(by the people)人民のための(for the people)政治(government)」です。

第3章で詳述しますが、日本国憲法が定める議会制民主主義のメカニズムは、図1のように表すことができます。この図で有権者が起点となっているのは、日本国憲法が「国民主権」を採用しているからです。「その権威は国民に由来」する政治が、「国民の政治」です。そしてこの政治を動かすのが「正当に選挙された国会における代表者を通じて行動」する国民で、これが「国民による政治」にあたります。そのようにして遂行された国政から得られる「福利は国民がこれを享受する」ことが、「国民のための政治」です。

有権者 → 選挙
国会 → 総理大臣指名
内閣 → 政策遂行

図1　日本国憲法が定める議会制民主主義のメカニズム

若年層の低投票率は、若い世代に広がった議会制民主主義への不信あるいは無関心の表れです。自分が当事者であることを知らないでいるとき、身に降りかかっているはずのことが、自分にとっては「なかったこと」になります。本当は巻き込まれているのに、知らないでいれば、自分に関係のないことだと無関心でいられます。放っておいて痛みが体に出てきたときには、降りかかったものを払おうとしても、もう手遅れかもしれません。若者も政治に巻き込まれる当事者であることが自覚できるように、議会制民主主義から不信と無関心を拭い去る必要があります。そうであれば、まず、議会制民主主義がどのようなメカニズムをもち、誰が動かし、何を生み出しているのかを、知る必要があります。知ることで、活用の方法が分かります。本書は、憲法をよりどころに議会制民主主義の使い方を考えることを課題にしています。この目的のため、三つのパートに分けて説明します。

第Ⅰ部では、議会制民主主義とは「何か」、「なぜ」議会制民主主義なのか、議会制民主主義が「どのように」制度化されているのかを考えます。日本国憲法の定める議会制民主主義のメカニズムは、歴史的な知恵の積み重ねから生まれました。このため、歴史的な軸からの物語になります。ある憲法研究者が日本国憲法を自動車になぞらえました。それに倣って議会制民主主義を自動車にたとえるなら、工場直出しの自動車本体の性能を吟味します。

第Ⅱ部では、このメカニズムを誰が動かすのか、選挙権を有する有権者と国会(議会)を結ぶ「選挙」を通して考えます。自動車の動力源の問題です。エネルギーを自動車本体に注入するために、動力源を自動車に接続する改造を行います。自動車の性能を向上させる改造であれば歓迎ですが、性能に変質をもたらす改造である場合もあります。この接続部分に当たるのが、選挙制度です。選挙制度の性質によって、エネルギーの伝わり方に違いが生じます。選挙制度の働き方を知ることで、選挙制度に見合った効率の良い動力の伝え方が分かります。これが、自動車の性能を存分に発揮させるのに役立つはずです。

第Ⅲ部では、議会制民主主義のメカニズムがどのように運用されているのか、憲法の視座から現実政治のあり方を考えます。運転技術や運転ルールの問題です。議会制民主主義の運転をするのは、国民であり、議員であり、政府であり、政党などの団体(議会制民主主義のアクター)です。さらには、自動車を走らせる道路環境などにあたる、議会制民主主義の条件整備も含まれます。

本書はいわゆるハウツーものではありません。憲法に依拠して、議会制民主主義において主権者としての当事者性を恢復(かいふく)するために、議会制民主主義をどう扱うのかを考えていくことが、本書のテーマです。本書を手がかりに、若い世代が自分事として政治を語り、議会制民主主義を主体的に使いこなす新たな工夫を重ねてくれたら、大変うれしく思います。

なお、本文中に記載している文献等のうち、巻末の「エンタメ・読書案内」に掲載されているものに関しては、著者名と書名のみの記載としています。

第I部
歴史から学ぶ議会制民主主義

日本国憲法が採用する議会制民主主義は、長い時間をかけて獲得された政治制度です。議会(国会)が、国民を代表し、審議して法律を制定する機関だということは、今日当たり前のことです。議会がこの地位を占めるまでには、さまざまな試練を乗り越えなければなりませんでした。そのような権力を獲得した議会を通じて政治を行っていたのは、最初は、限られた人々でした。これが「みんなで決める政治」を行う場所になるために、政治に参加する資格=選挙権拡大の運動が粘り強く続けられてきました。まず成人男性全員への、次いで成人女性への選挙権の拡大、さらに選挙権年齢引き下げという成果が獲得されました。

「言論NPO」が二〇一九年九月に実施した「日本の民主主義に関する世論調査」(http://www.genron-npo.net/future/archives/7410.html)によれば、政党や国会など、選挙によって自らの代表者を有権者が選ぶ代表制民主主義(本書でいう「議会制民主主義」のこと)の仕組み自体を「信頼している人」は三割程度にとどまりました。

また、現在の国会は「言論の府」と呼ぶに値すると「思う」という人は一割に達せず、「言論の府」だと「思わない」という人が六一・二%と六割を超えました。国民の政治不信が顕著で、とりわけ若い世代にその傾向が強まっているという分析結果が示されました。今や、議会制民主主義を捨て去る時が来たのでしょうか。これに代わる政治体制はあるのでしょうか。時として、人は失うことで初めて失ったものの価値を知ります。価値を知るために失うのは惜しいことです。失う前に、長い時間をかけて人々が議会制民主主義を手に入れようとしたのはなぜなのか、そして今なお、多くの国々が議会制民主主義を維持しているのはなぜなのか、歴史を振り返って考えてみましょう。

第1章　生成

1．議会はどのように生まれたのか

パーラメントの二つの起源

近代議会制度の源流となったのが、イングランドのパーラメント(parliament)です。パーラメントは、フランス語の「話す」(parler：さらにラテン語に遡れば paraulare)という動詞に由来し、「話す場所」という意味です。青木康『議会を歴史する』によれば、パーラメントには二つの制度がありました。

一つは、身分に基づく特権によって国政に参与する諸侯(しょこう)(大貴族)が構成員の中心となっていた集会(パーラメント)です。中世イングランドでは、国王は国の重要政策について有力な臣民である諸侯らを集めて相談しなければならないことになっていました。この集会の存在は、国王の専制的統治を抑制する性質をもっていました。

いま一つは、地域代表が中央に召し出されて国王による統治に協力する制度としてのパーラメントです。当初は、地域共同体である州を代表する四名の騎士(土地の支配を保障される代わりに騎兵として戦うことを義務づけられた身分のことで、のちに名誉職化しました)が、中央に移管された各地域の係争事案について報告するために、必要に応じて中央に呼ばれるという司法上の手続でした。その後、複数の州から二ないし四名の騎士が、こうした司法目的のみならず、課税同意のような政治目的のために呼び集められることも行われるようになり、一部都市の代表が召集される例も出てきました。

一二九五年に開催されたパーラメントは「模範議会」と呼ばれ、大貴族、高位聖職者に加え、各州より騎士二名、各都市(自治権を保障された自治都市)より市民二名が召集されました。これが中世の身分制議会の典型例で、近代の議会制度の母体となりました。この段階では国王の一方的な諮問に答える機関で、その議員は身分別の団体の代表でした。農村の地主である騎士と都市の市民は、(貴族ではないという意味で)「庶民」(コモンズ)を構成しました。

◆議会主権

その後、貴族・聖職者から構成される上院(貴族院)と、騎士・市民代表から構成される下院（庶民院）に分離されました。重要なことは、当初から、議会は、国王の専制を抑制すると同時に、統治に資する機関であったことです。地域代表としての下院は、国王との課税交渉を武器にして、次第に権力を拡充し、地域社会の要望に応える法律の制定を事実上実現していきました。イングランド議会は、国家の力を強大にする諸改革を議会制定法によって実現し、王権に協力しながら地位を確立していきました。こうしたことから、議会とともにいる国王が至上の権力を行使できるという意味で、「議会の国王」に主権があると考えられるようになりました。

いわゆる名誉革命の成果である一六八九年の「権利章典」は、「ウェストミンスターに召集された聖職貴族ならびに世俗貴族および庶民」によって、「王国のすべての領土を合法的に完全かつ自由に代表して」宣言されたものです。一連の経過を経て、イギリスの政治制度は徐々に議会君主政に変化していきました。その仕組みは、政府は一人の首相をいただく内閣によって担われ、首相も内閣も議会の支持（信任）を得ているときのみ維持されるというものです。これは下院に対する大臣責任の原理として確立されました。大臣たちは国王の信任も得る必要がありましたが、この制約は次第に薄れ、首相こそが国王に代わって行政の真の長となりました。かくして議院内閣制が確立されました。「議会の国王」という表現は、議会に支えられなければ国王は統治を行いえない（議会こそが統治の要である）という、「議会主権」を意味するものとなりました。

議会の選挙人に対する独立宣言

ところで、一五世紀には下院議員は選挙で選ばれるようになっていました。選挙人は土地所有者＝地主に限られていて、人口のわずか三％を占めるにすぎませんでした。一八世紀末になっても、下院議員の有権者は、成年男子の五分の一にも満たなかったのです。そればかりではありません。産業革命によって人口の移動が起こり、農村部では人口が激減したにもかかわらず、選挙区割りの見直しが行われないままになっていました。当時の様子を記した歴史の本には、バーミンガムやマンチェスターのような新興大都市が議員を選出していなかったことや、逆に、五軒の家で二人の議員を選んでいた、あるいは、水没した町の地主が自らを議員に指名した話が載っています。こうした選挙区は、腐敗選挙区と呼ばれました。

このような選挙で選ばれた議会は、国王に対しても、選挙人に対しても、自ら決定を行う権限をもつことを主張しました。イギリスの保守政治家エドマンド・バークが、一七七四年に、ブリストルの選挙人に対して行った演説の次の一節は、こうした事情を伝えるものとして有名です。

「議会は決して多様な敵対的利害関係を代表する諸使節団から成るところの、そしてこの使節個々人はそれぞれが自己の代表する派閥の利害をその代理人ないし弁護人として他の代理人ないし弁護人に対して必ず守り抜かねばならぬというような種類の、会議体ではない。議会は一つの利害つまり全成員の利害を代表する一つの国民の審議集会に他ならず、従ってここにおいては地方的目的や局地的偏見ではなくて、全体の普遍的理性から結果する普遍的な利益こそが指針となるべきものである。諸君は確かに代表を選出するが、一旦諸君が彼を選出した瞬間からは、彼はブルストルの成員ではなくイギリス議会の成員となるのである。もしも地方的有権者が自己の利害関係にもとづいて、そこでは共同社会の他の構成員の真の利益に反することが一目瞭然たる如き性急な見解を作り上げるならば、その地域から選出される代表は他の地域の代表に少しも劣らず、この種の意図を実現しようとする努力を排除しなければならない」

（『エドマンド・バーク著作集（2）』中野好之訳、みすず書房、一九七三年）

これはいわば、議会の選挙人に対する独立宣言です。良識と知識のゆえに選ばれた議会のメンバーが、選挙区民の利害や偏見にわずらわされることなく法律を作り、統治するのです。

2.「議会制」と「民主制」の対立

民主制支持派のルソー

このようなイギリスの状況に対して、啓蒙主義の時代に活躍した思想家ジャン・ジャック・ルソーが、『社会契約論』三編一五章で、「イギリスの人民は自由だと思っているが、それは大きなまちがいだ。彼らが自由なのは、議員を選挙する間だけのことで、議員が選ばれるやいなや、イギリス人民はドレイとなり、無に帰してしまう」と揶揄（やゆ）したことは、よく知られています。

ルソーは、ジュネーブ共和国の市民として生まれました。不幸が重なって孤児同然となり、不遇な少年時代を過ごしました。しかし、父親の教育によって幼少期に身につけた読書習慣がルソーを救い、思想家としてフランスのサロンでの成功に導いたのです。

ルソーは、各人が全員と結合しながら「自分自身にしか服従せず、以前と同じように自由である」政治体制を求め、各人が市民として参加する全員集会という形式で、人民のみが法律を制定することができる直接民主制を理想としました。この体制を正当化するために、政策決定に加わる人々の個別的な利害関心である「特殊意思」とは区別される、共通の利益あるいは共通善を志向することで生まれる「一般意思」という概念を提唱しました。一般意思とは、国家を設立する社会契約によって成立した集合である主権者の意思で、一般意思の表明は主権の行為であり、法律となりますから、主権は立法権として定義されます。そして「立法権は人民に属し、また人民以外のものに属しえない」とされます。一般意思をどうやって発見するのかは難しい問題で、しばしば論争を生んでいます。

議会制支持派のモンテスキュー

議会制と民主制を対置する考えを示していたのは、ルソーだけではありません。当時では、この見方が常識でした。ルソーより少し前の時代に活躍したシャルル・ド・モンテスキューも、両者を対置させています。モンテスキューは、権力分立論を唱えた思想家として、社会科の教科書でおなじみです。彼はフランス南西部ボルドーの男爵（だんしゃく）で、高等法院の副院長の職にありました。ユーロに統一される前のフランスの二〇〇フラン紙幣には、彼の肖像が描かれていました。

モンテスキューは、民主主義というより自由に関心があり、一七三〇年前後のイギリス滞在の経験をふまえ、『法の精神（上）』一一編六章「イギリスの国制について」で、（立憲君主政の）権力分立論を展開しました。まず立法権と執行権を区別し、後者をさらに行政権と司法権に分けました。立法権に君主・上院・下院の三者を参与させ、権力が相互に抑制・均衡する体制として、当時のイギリスの制限王制を描き出しました。彼は、三権のうち、二つ以上が一つの機関によって独占されると、専制政治、つまり人々の自由の抑圧をもたらすと考えました。確かに、立法機関と、法を具体的な場面に適用する裁判機関とを融合すれば、裁判役が立法者になることから、個別の事情やその時々の考慮によって法が伸縮自在に適用されます。そうすると、あらかじめ定められた一般的な法に従って予見可能な形で国家権力が行動するという「法の支配」は失われます。裁判する権力（＝司法権）と行政権が結合すると、立法者の定めた法による拘束は名目的になり、裁判役は圧制者の力をもちます。

モンテスキューは、「自由な国家においては、自由な魂をもつとみなされるあらゆる人間が自分自身によって支配されるべきであるから、人民が一団となって立法権力をもつべきだ」としつつも、「それは強大な諸国家では不可能であり、弱小の諸国家では多くの不都合を免れたいので、人民は自分自身でなしえないことをすべてその代表者を通じて行われなければならない」として、代議制を推奨しました。「代表者たちのもつ大きな利点は、彼らが諸案件を討議できることである。人民は全くそれに適しない。これは民主制の重大な不都合の一つをなしている」からです。この代表者たちは、選挙人から「各案件について個別的な指示を受ける」ことはありません。もっとも、「すべての公民は、さまざまな地区において、代表を選ぶために投票する権利をもつべきである。ただし、自分自身の意思をもたないとみなされるほど低い身分にある者は除かれ」ます。他方、「国家には常に、出生、富、名誉によって際立った人」がいて、「大多数の決議は彼らの利益に反するであろうから」、「彼らが人民の企てを阻止する権利をもつ一団を構成する」ために、立法権力は、貴族の団体と人民の団体に委ねられるとされました。こうして二院制議会が好ましいとされました。

議会制をめぐる二つの構想

このように、近代の出発において、「議会制」と「民主制」は正反対のものととらえられていました。民主制が議会制より優れているとするルソー的な見解と、議会制が民主制より優れているとするモンテスキュー的な見解の対立があったことが確認できます。実際の歴史過程で勝利を収めたのは、後者でした。後述するように、フランス革命期の議論の中で、決定的な役割を果たすことになります。この構想の下、身分制議会は近代議会へと転身することになります。ルソー的な見解は、制度化された議会制の「民主化」を求める運動の理念となり、その後も脈々と伝わっていきます。革命がエスカレートした時期にはルソー的な理念が追求され、フランスに生まれ住所をもつ満二一歳以上のすべての男子(および一定の条件を満たした外国人)に選挙権を承認した、一七九三年憲法が制定されました。もっとも、この憲法が施行されることはありませんでした。

3. 少数者に委ねられた「国民の」政治

◆国民(ナシオン)主権──国民代表制論

フランスの最初の憲法である一七九一年憲法は、「国民(ナシオン)主権」原理を宣言しました。主権は国家権力そのものを意味し、国家権力が帰属する主体が主権者です。先行する時代にあっては、主権者は君主でした。君主は生身の人間ですから、政治的意思決定能力をもち、権力を行使することができます。主権の保持者と主権の行使者が一致している体制です。ルイ一四世がいったと伝えられている(確たる証拠はないようですが)「朕は国家なり」という言葉は、主権と主権者の関係をよく示しています。「国民主権」は、君主に代わって「国民」(ナシオン)が主権の保持者になるという主張です。ここにいう「国民」は、過去から現在を経て未来へ連綿と継続する国籍保持者総体であると観念されました。

このような「国民」は、肉体も魂ももたない抽象的・理念的存在にすぎません。自分の意思をもつことも、決定を下すこともできません。そこでフランス憲法は、国民代表制を採用しました。代表者の意思が、主権者「国民」の意思とみなされる仕組みです。国民代表の地位に就いたのが、法律という形式で「国民」の意思を表明する議会でした。主権者の意思は一つだという理由で、一院制議会が採用されました。議会によって形成される国民の意思は、「全国民」の意思ですから、選挙区民の意向(命令的委任)によって左右されては困ります。命令的委任の禁止は、中世の身分制議会と近代議会を区別する指標です。バークのいう議会の選挙人に対する独立宣言と同じです。「国民主権」とはいうものの、実際のところは、イギリスでいうところの「議会主権」に他ならない体制だったのです。

制限選挙制

同じ理由から、選挙権・被選挙権についても、「全国民の利益」を考えて選挙権・被選挙権を行使することができる者に制限されなければならないとされました。選挙権・被選挙権は、「権利」ではなく、「全国民の利益」のための「公務」だと考えられていました。

その論拠となったのが、モンテスキュー的議会制観です。ルソー的な考えに立つなら、選挙権は権利で、普通選挙制度が必然化されなければならないところでした。革命期の論客として名高いエマニエル・シィエス（『第三身分とは何か』という革命前夜に出版された政治パンフレットの著者として有名です）は、一七八九年に憲法制定議会で行った演説のなかで、市民の多くは「フランスを統治すべき法律に携わる十分な教育も余暇も有していない」、「自分たちよりも一般利益をよく知ることができ、その点について自分たち自身の意思をよく解釈してくれるような代表者（議員）を指名する」ことの方が適切だとして、議員と市民の役割分担を説きました。こうして、市民と統治のかかわりを議員の選挙の場面に限定しながら、シィエスは、さらに市民を「受動的な」普遍的権利をもつ「受動市民」と、「能動的な」政治的諸権利を有する「能動市民」に区別しました。能動市民になるための資格は、満二五歳以上のフランス人成年男性で、三労働日分に等しい直接税を支払い、奉公人の身分にない人に限定されました。

能動市民にのみ選挙権を認める制限選挙制を正当化するために展開されたのが、シィエスによる「納税者株主論」です。これは、国家は株式会社のようなもので、納税者のみが真の株主として国政に参加できるとする考え方です。「女性——少なくとも現状では——、子ども、外国人、公の施設の維持になんら貢献しない者は公的事項に能動的に影響を与えてはならない」からだというのがその理由です。また、「奉公人、主人に依存した状態にある者」は、他人の意思に従属する自律的存在ではないゆえに、選挙権の行使から排除されなければならないとされました。そのうえで、間接選挙制が採用されました。能動市民が集まって（第一次集会）、各県から選出される議員を選挙する選挙人を選びました。この結果、当時の人口約二六〇〇万人、成年男子人口七〇〇万人のうち、能動市民が約四三〇万人、議員を実際に選出する選挙人の数は、四万人にとどまりました。

身分制社会が打破されて、「国民主権」が宣言されましたが、それは権力の源泉が国民にあるという正統性の根拠にすぎず、「国民の」政治を行うという建前の承認にとどまりました。近代の初期において勝利し、実際に国家権力を行使したのは、限られた少数の富裕層に属する男性だったのです。議員は「名誉職」と考えられ、議員報酬は受け取らず、議会のある首都までの交通費や滞在費も自前でした。これでは、議員活動ができる人も限られます。

また、議会の選挙人からの独立宣言といっても、選挙人と実際に議員として活動する人たちは同じ階層に属し、利害を共通にしていました。議員が選挙人の意向をくんだ活動をしていたことは、十分に考えられることです。たとえそれが多数の国民の利害に反するものであったとしても、批判することはできませんでした。なぜなら、建前の上では、議員は選挙人から独立した存在だったからです。

第2章　栄光と凋落

1．選挙権の拡大

選挙貴族政と普通選挙の要求

フランス革命を担った憲法制定議会は、「国民」(ナシオン)、「主権者」というレトリックで人々を説き伏せ、当時の富裕層を権力の座に就かせました。これらの富裕層は、自らの権力の正統性を「選挙制」から引き出すことになりました。「世襲貴族政」が「選挙貴族政」に置き換わったのです(D・ヴァン・レイブルック『選挙制を疑う』)。このため、民主主義を前進させるための闘いは、選挙権拡大を求める闘いになりました。多かれ少なかれ、各国も同様の歩みをたどりました。以下では、フランスを例に選挙権拡大の歴史をみてみましょう。

ナポレオンの失脚とともにフランス革命は終焉(しゅうえん)を迎え、王政が復活しました。一度解放され自由になった民衆の精神を、もはや押しとどめることはできません。一八三〇年七月、パリで中間層とともに民衆が蜂起し（七月革命）、自由主義的な七月王政に移行しました。しかし、民衆は、選挙権を獲得できませんでした。政府は、「選挙権が欲しければ、金持ちになればいいのだ」といって、選挙法改正に頑な態度を示しました。

一八四七年七月、集会禁止令にふれないように会費制の宴会という形をとって改革運動が始まり、「普通選挙」を要求するに至りました。ここにいう「普通選挙」は、選挙権の納税額による制限を撤廃することを指します。普通選挙によって、すべての階層が議会に代表され、とりわけ多数を占める民衆の要望に応える法律が制定されることが期待されました。

普通選挙制の導入

一八四八年の二月革命後、普通選挙制が導入されました。二一歳以上の男性で、同一のコミューン（市町村）に六カ月以上居住していることが選挙権者の条件でした。被選挙権は二五歳以上のフランス人男性に付与され、居住要件はありませんでした。四月二三日の憲法制定議会選挙時の選挙人はほぼ九〇〇万人（七月王政期の四〇倍）で、投票率は八三・五％に達しました。人々は祭礼のように隊列を組んで各村から投票所のあるカントン（郡）庁所在地まで赴き、コミューンごとにアルファベット順で点呼されて、投票の秘密が守られないまま、投票しました。この様子は、『フランス二月革命の日々――トクヴィル回想録』に生き生きと描かれています。

新憲法起草のために新しい選挙人がパリに送った九〇〇人の「代表者」のほとんどが、伝統的名望家、富裕層でした。アレクシス・ド・トクヴィルは、前述の回想録の中で、「この議会は、選挙権や被選挙権をもつ条件として財産が問題だった時代に選出されたどの議会の場合よりも、大土地所有者や貴族の議員が多かった。そしてまた宗教的な党派がその人数においても勢力においても、王政復古期より強大になっていた」と記しています。トクヴィル自身が、ノルマンディー地方のトクヴィル村に館を有し小作料で生活する地方の名士として、この選挙で選出されています。トクヴィル村の村民全員が事前にトクヴィルに投票することを決めて、隊列を組んで投票所に赴きました。

こうして制定された第二共和政憲法は、一院制議会とともに、行政権の担当者として直接公選制の大統領を創設しました。有権者の大多数を占める農民は読み書きができず、新聞はおろか選挙公報に記されている候補者の名前すら解読できませんでした。投票に際しては、耳に入る候補者の名前が親しみのあるものかどうかが基準となったといいます。保守派の候補者であったルイ＝ナポレオン（フランス革命期に活躍したナポレオンの甥）の勝利（得票率七四％）は、彼がルイ＝「ナポレオン・ボナパルト」であったことによってもたらされました（鹿島茂『怪帝ナポレオンⅢ世――第二帝政全史』）。

普通選挙が生み出した独裁

このナポレオンが間隙を縫ってクーデタ（武力による政変）を成功させ、第二帝政を樹立しました。この帝政下でも男子「普通選挙制」は維持されていましたが、①選挙区割りの操作で帝政に批判的な候補者の当選を妨げ、②政府の友である「官選候補者制」を採用していました。しかも、普通選挙で議員が選出される立法院には、皇帝の信任が厚い終身議員から構成される元老院が対峙し、法律案自体も、官僚機構である国務院が起草し、立法院の修正は、国務院が受け入れる限りにおいて可能でした。立法院の会議の報告は、憲法上、立法院議長において作成される議事録であるとされました。この規定によって、新聞に立法院の審議の模様を掲載させることで世論に訴える可能性が閉ざされました。会議の公開は名ばかりでした。それだけではなく、公の自由も停止されました。とくに言論・出版の自由が抑圧の対象となりました。新聞は事前の発行許可がなければならず、しかも多額の保証金を積み、印紙税が必要でした。大臣あるいは知事が「世論を惑わす」と判断しただけで当局から「警告」が発せられ、三回の警告で発行停止に追い込まれました。検閲制度にたよることなしに、政府批判の言論は封殺されたのです。

このように、「普通選挙」が実施されていたとしても、議会政治がうまくいくとは限らず、独裁政治すら生んでしまうことがあります。いったん独裁政治が始まると、それを批判することさえできなくなってしまいます。こうした経験から、後にフランスでは、二人のナポレオンが多用した「人民投票」の手法(民主的な外観を装いながら、提案者であるナポレオンを「信任する／信任しない」と問うような投票をさせ、ナポレオンに都合のよい方向に国民に意思表示をさせるやり方)を「プレビシット」(古代ローマの平民決議(プレビシトゥーム)に語源を有する)と呼んで、警戒する心性が形成されました。

政治に参加する有権者の政治的リテラシー(政治的判断能力)にも問題がありましたが、それ以前に、有権者に正確な情報が与えられていなかった点に留意する必要があります。「民」という字は、白川静『字統』(平凡社、二〇〇七年)によれば、象形的には「目を刺している形」で、「一眼を刺してその視力を害し、視力を失わせること」を示し、古代奴隷制(どれいせい)の一証とされています。「のちその語義が拡大されて、新しく服属した民一般をも、民といった」

ようです。〈民に政治の方針や実際を知らせずに従わせる支配の論理〉を表しているように思います。封建制の時代であれば、「由らしむべし、知らしむべからず」の政治でよかったのかもしれません。しかし、民衆が政治の主体である時代にはふさわしくありません。

2.「議会制」と「民主制」の接合

議会中心主義

第二帝政は、その後半期に自由主義的な方向に転換していきますが、一八七〇年、プロイセンとの戦争でナポレオン自身が捕虜となって敗北し、終焉を迎えました。政権の空白期間にパリで共和政が宣言され、各地での「内戦」を経て、一八七五年、第三共和政憲法(憲法典ではなく、三つの憲法的法律から構成されています)が制定されました。男子普通選挙制は、当然のこととして維持されました。選挙法上、「投票は秘密」でしたが、そのための手立てとして、仕切りのなかで投票用紙を封筒に入れる方式が採用されるには、一九一三年七月二九日の法律の制定を待たなければなりませんでした。

第三共和政憲法は権利章典を含んでおらず、「憲法」とはもっぱら統治機構を指すのだという観念が成立しました(憲法は constitution の訳語です。英和辞典には「構成・構造・体格」などの意味が載っていると思います。つまり「国の構造」というのが本来の意味です)。

第三共和政憲法が定める統治構造は、当初、国王の代わりに大統領を据えた、「君主なき七月王政」でした。ところが、王党派の大統領が共和派の議会に対抗して解散権を行使し、王党派が敗れた経験(一八七七年「五月一六日」事件)から、解散権は事実上凍結されました。大統領は上下両院の議員によって選出されるため、解散権を事実上失った大統領は、議会に対抗する手段を失い、大統領と議会の権力関係に変化が生じました。

このことから、この憲法のもとで、①統治機構における行政権に対する議会の優位、②裁判所に対する議会の優位(主権者の意思の表明である法律に対する違憲審査制の否認)、③選挙人に対する議会の優位、④憲法に対する議会の優位(法律の制定手続と憲法改正の手続に区別がないことから、憲法改正権そのものを議会が手中に収めることになりました)が出現し、議会が国政の中心を占めるに至りました。

選挙人の意思の反映としての議会

「選挙人に対する議会の優位」といっても、第三共和政においては、「議会は選挙人の意思を反映すべきだ」というように建前に変化がありました。選挙人の意向に反するような法律を議会で制定することは、「民意に反する」という批判が可能になりました。

その要因は、普通選挙制の確立による選挙人の議員に及ぼす影響力の増大に求められます。再選を望む議員は、少なくとも重要な点においては、選挙人の意向に従う必要がありました。選挙は代表者の指名手続にとどまらず、国政に関する選挙人の思いを知らせる手段となったと考えられるようになりました。議会の審議や議員の投票の公開、討議・採決の公表は、議員を選挙人の統制のもとにおく手段としての機能が期待されました。実際、議事録は毎日発行されるようになりました。

このような状況が生まれても、議員は法的にはあくまでも自由で、選挙人はたとえ代表者の行動が公約に違反したとしても、法的な責任を問うことはできません。次の選挙でその議員に投票しないことが、唯一可能な責任の問い方でした。選挙人が直接に意思表明する制度は、ナポレオンの経験から反共和主義的・反民主主義的とされ、議会だけが民意を代弁するとされたからです。この意味で、「選挙人に対する議会の優位」が成立していました。

議会制民主主義の過程による正当化

「国民代表」の地位が「普通選挙」と結びついた結果、議会多数派は、自らの権力の正当性の根拠を、選挙を通じて表明された有権者の多数の支持を得た点に見出すことが可能となりました。そうなると、議会の多数派が採択した法律が、なぜ主権者そのものの「意思表明」とみなされるのかが、疑問とされます。そこで、法律が「一般意思の表明」となる根拠は、もっぱら議会制の手続に求められるようになりました。賛否両論の公開の討議が恣意性を排する妥協を法律に与える、討議の自由、議会内少数派の権利の保障が、議会の討論の質を向上させ、出版の自由が討論から生まれる法律の社会的価値を高めると考えられたのです。

この考えは、「審議」機能が議会の本質である点に立ち戻ることを促すものです。「議員」は、一方で選挙区の意思を「反映」しながら、他方で何が一般意思であるかを同僚議員との討論・説得のなかで自己の良心に基づいて判断し、両者の乖離を選挙区民への働きかけ(討論・説得)を通じて埋めてゆくという役割」を果たさなければなりません(高橋和之『立憲主義と日本国憲法〔第4版〕』)。こうして、「国民のうちに現に存するさまざまの意見が、議会にまで反映されたうえで、議会での討論を経たのちの多数決によって意思決定がおこなわれ、言論表現の自由と議事公開制の裏づけを得て、つぎの選挙での選挙人による自由な選択が可能となり、その結果いかんによって、あるいは多数派が引き続き国民の信任を受け、あるいは多数派と少数派の交代がおこる」(樋口陽一『憲法Ⅰ』青林書院、一九九八年)という理念像によって、議会制＝民主主義が観念されるようになりました。王政もどきの議会制が議会制民主主義へ進展したのは、こうした政治による自己変革があったからです。議会制民主主義にこのような自己変革のメカニズムが備わっていることは、記憶にとどめておいてほしいことです。

◆議会制民主主義を支える自由と言論空間

実際、第三共和政期には、議会制民主主義を支える自由主義的な法律の整備が進みました。出版の自由を確立した一八八一年七月二九日法律、事前の許可なしに集会を行いうることを宣言した一八八一年六月三〇日法律(事前の届出の必要もないことを原則としたのは一九〇七年三月二八日法律)、届出だけで個人間の契約として結社する自由を定める一九〇一年七月一日法律、宗教からの精神的自由を確立する一九〇五年一二月九日の政教分離法などをあげることができます。

同時に、フランス全土でフランス語を国語化する厳しい教育政策が遂行されたことにも留意しなければなりません。フランスは、もともとは、多民族的な基盤の上に立って領土が成立している国家で、フランス語以外に、四系統、八地域語を有する多言語国家でした。そのため、フランス語を国民共同体内での相互理解を可能にする「国民の言語＝国語」へ転換しなければなりませんでした。議会が文字通り審議機関となるためには、審議するメンバー間で共通の言語が話されていること、公開された審議が国民に理解可能な言語で語られていることが必要だからです。言葉を交わし合うことで国民共同体にとって基本的な約束事が決められていくことの前提に、「国語」によるコミュニケーション空間の確立がありました。

女性不在の政治

こうした段階を経て議会制民主主義が確立したのですが、それは国民の半分が参加しただけの、「半」民主主義でした。女性が参加していなかったからです。

女性の選挙権を求める運動が活発になったのは、フランスでいえば第二共和政期でした。第三共和政時代には、女性参政権を認める法案が議会に提出されるようになりましたが、地方議会に限っての女性の選挙権であってすら、上院によって成立が阻まれました。フランスで女性に選挙権が認められたのは、一九四四年のパリ解放後のことです。

女性不在の政治が長引いたのは、フランスにとどまりません。議会政治の先進国であるイギリスにおける女性参政権運動は、一八六〇年代から本格的に始まりました。政治哲学者ジョン・スチュアート・ミルは、一八六五年、「女性の参政権」を掲げて下院議員選挙に立候補して当選しました。ミルは、第二回選挙法改正時には、女性参政権を認める修正案を議会に提出しましたが、その修正案は否決されました。一九世紀後半から二〇世紀初頭にかけての女性参政権を求める運動に加わった女性たちは、サフラジエット(suffragette)と呼ばれ、主張がなかなか受け入れられない中、器物損壊、ハンガーストライキなど、次第に運動を激化させていきました。二〇世紀初頭のロンドンを舞台にした彼女たちの活動は、イギリス映画『未来を花束にして』で描かれています。

第一次世界大戦中、挙国一致内閣(国家的危機状況において、ある一定期間、平素は対立している諸党派が危機打開のために一致してつくる内閣)が、国民代表法を成立させ、男性は二一歳以上すべての者に、女性は三一歳以上で戸主または戸主の妻である場合に選挙権が認められました。同時に女性の被選挙権も認められました。一九一九年の選挙で、女性が初めて一人当選しました。一九二八年の選挙法改正で二一歳以上の女性に選挙権が認められ、ようやく選挙権の男女平等が実現しました。

3. 議会制民主主義の危機

フランスにおける動揺

議会が自分たちの利害を代弁しないのは、自分たちに選挙権がないからだという考えから、労働者は選挙権の納税制限の撤廃を求めてきました。しかし、普通選挙制の樹立は、労働者に期待した成果をもたらしませんでした。普通選挙制が導入されれば、人口的に多数を占める労働者の代表者が議会において多数を占めるはずなのに、そうはならなかったのです。確かに、制限選挙の時代には、選挙人と代表者の階層的同質性が確保され、代表者が代表される者の意向からかけ離れることは事実上なかったと推測できます。普通選挙制のもとでは、労働者の投票は投票箱の中で希釈(きしゃく)される一方、議員は選挙人からの拘束的指令を受け取ることはありません。フランス革命が樹立した「国民代表制」は、そもそも代表者と代表される者を切断する論理を含んでいたからです。しかるに人々は、自分たちを代表していない議会を批判しました。議会制に向けてのこの批判は、普通選挙制によって人民がよりよく議会に代表されるであろうという期待が成立していなければ、生じえないことでした。これは「誤った想定」でした。「普通選挙さえ保障されていれば」という前提から、多数派の声が議会で代表されるという結論は導かれないのです。

そこで、パリの労働者が一八六三年に署名した「六〇人宣言」は、労働者の直接の代表を求めました。労働者を代表する者は、労働者にとって信頼に足る人物であるだけでなく、「労働者」という集団のアイデンティティを象徴する必要がありました。そうであれば、代表者は選挙人より「優れた」人物である必要はありません。それどころか、同じ集団に属する仲間であることが重要です。古代都市国家アテネのように、同じ集団から「籤引（くじび）き」で選ばれるような代表者が望ましいということになります。この要求を「代表制」の理論的枠に収めたものが、労働者の利益の擁護を打ち出した階級政党です。選挙人の選択は、人物ではなく、政党に向かうようになりました。

近代議会発足から普通選挙制確立まで時間を要したのは、多数決原理によって民衆が力を発揮することが嫌悪されたからでした。普通選挙確立後も、普通選挙制によって選出される下院に、地方名士による間接選挙で選ばれる上院を対峙させる二院制を採用したのも、民衆の力が直接に国家意思形成に及ぶことを恐れたからでした。一九一七年にロシア革命が成立し、社会主義が空想ではなく現実のものとなったことから、階級政党の存在は、中間層を不安に陥れました。この恐怖は、選挙によって選挙人の多数から支持を得て、一九三六年と一九三八年に成立した二度の人民戦線内閣(社会党を中心とする左翼内閣)を瓦解させるのに十分でした(農村地域が過大に代表されていた「農民議会」である上院による倒閣)。戦間期において、刻々と変化する経済状況に機敏に対応するために、「デクレ＝ロワ」(法律と同位の形式的効力を有する政府の発する命令)が増大し、議会制の手続による「法律」の制定が保障されなくなるという事態が生じました。人民戦線内閣も「デクレ＝ロワ」の制定権を求める授権法案を議会に提出しましたが、内閣が中間層の意に反する方向で権力を行使するのではないかと疑心暗鬼にかられた上院がこの法案を否決し、手立てを失って人民戦線は政権を去りました。議会制民主主義の手続が可能であるためには、議会が妥協可能な同質性を有している必要があります。階級対立のような、通訳不可能(物事の価値判断をする共通の物差しがない状態)な利害対立が議会にもち込まれると、妥協は困難になってしまうのです。

戦間期のフランスでは、下院選挙に際し、選挙人団はいつでも左翼多数派を議会に送り込みました。ところが立法期(議員の任期満了までの期間)の終わりは、多数派と少数派が逆転していました。フランスがナチス・ドイツに侵略されたとき、内閣は倒閣されていて、権力は空白でした。親ナチス的な政権(ヴィシー政府)が樹立され、一九四四年のパリ解放まで傀儡政権として君臨しました。この時代は、負の歴史として記憶されています。

ワイマールの悲劇

議会制民主主義の危機といえば、ナチスを生み出したドイツの経験にふれざるをえません。ワイマール憲法(憲法制定のための国民議会がワイマールに召集されたため、この名を冠しています)は、第一次世界大戦末に瓦解したドイツ帝国に代わって、一九一八年末に共和国となったドイツの憲法として、一九一九年に可決されました。第一条で「国民主権」を宣言し、ドイツ全土で、満二〇歳以上の男女による普通選挙・直接選挙・平等選挙・秘密選挙を初めて保障しました。また、一定の場合に国民投票によって法律の成否が決せられる制度や、有権者の一〇分の一以上による法律発案の制度が採用されていました。統治機構は、議会と大統領が同等の権限をもって対峙する形態です。大統領は、三五歳以上のドイツ人であることを被選挙資格として、国民により直接に選挙されました。上院(ライヒ参議院)は各ラント(州)から派遣された議員から構成されるラントの代表機関で、国民代表議会である下院は比例代表制で選出されました。

憲法の規定を受けて、一九二〇年に選挙法が制定されました。山本真敬「ドイツ」(大林啓吾・白水隆編著『世界の選挙制度』)によれば、この選挙法が採用した下院議員選挙の仕組みは、次のようなものでした。各政党は三五の選挙区のいずれか一つでの選挙区で六万票を獲得すれば一議席を獲得できました。選挙区で六万票に届かなかった場合も、その票はただちに「死票」になるのではありません。この場合、①二選挙区(ないし三選挙区)での選挙区連合において六万票ごとに一議席を(ただし、この場合はいずれかの選挙区で三万票を獲得していなければならない)、②選挙区連合において六万票に届かない場合にはドイツ全体で六万票ごとに一議席を獲得することができました。ただし、③各政党は、各選挙区または各選挙区連合において獲得した議席と同じ数しか②による議席配分を受けることはできません。

このように原則として六万票ごとに一議席が配分されるので、有権者数や投票率によって議員の数は変動し、定数も存在しませんでした。一九二〇年当時の議員数は四五九名でしたが、一九三三年の選挙では六四八名に達し、この間の平均投票率は、八〇%だったといわれています。下院の不安定性は一九二八年以降慢性化し、一九三二年七月、および一一月選出の議会の寿命はともに五カ月で、アドルフ・ヒトラーの登場に先立つ二年間というもの、議会の機構は完全に摩滅して動かなくなり、権力は、議会で多数をもたない大統領内閣によって握られていました。

一九三三年二月二八日、ワイマール憲法四八条(大統領の非常大権)に基づき、大統領命令が発せられ、憲法上保障されていた基本権が停止されました。ナチ党は、反対する議員を排除・逮捕する等によって、憲法七六条の要求する三分の二以上の賛成を得て、一九三三年三月二四日、憲法改正法律(全権委任法)を議会で可決させました。この法律は、ドイツ国家の法律をドイツ中央政府が制定することを可能にし、その内容はワイマール憲法に違反してもよいとするもので、憲法は死文化し、ワイマール共和国は崩壊しました。議会制民主主義の手続に従った、国民による選択の結果でした。

第3章　日本国憲法における議会制民主主義のメカニズム

1．日本国憲法の制定

恩賜的議会制民主主義

議会制は、民主制と対立した時代、民主制と結びつき(議会制民主主義)、議会が統治機構の中心を占めた(議会中心主義)時代、第一次大戦後の機能障害に苦しみ、全体主義の挑戦を受けた凋落(ちょうらく)の時代を経験しました。

議会中心主義の確立は、統治機構の設計者の意図によらずして、運用の中で出現しました。こうした運用が可能になったのは、それを支える政治的社会的状況があったからです。そのような運用を盛り上げるために、法律によって自由を促進する努力がなされました。制度を形式的に整えても、議会制「民主主義」の運用ができるとは限らないことを、強調しておかなければなりません。

日本の戦後の出発点にあるポツダム宣言は、「日本国国民ノ間ニ於ケル民主主義的傾向ノ復活強化ニ対スル一切ノ障礙ヲ除去」し、「言論、宗教及思想ノ自由並ニ基本的人権ノ尊重」が確立されて（一〇項後段）、「日本国国民ノ自由ニ表明セル意思ニ従ヒ平和的傾向ヲ有シ且責任アル政府」を樹立する（一二項）という道筋を描いています。これは、議会制民主主義の歴史から得た知見を反映しています。

日本国憲法の制定者は、国民主権・基本的人権の尊重・平和主義を宣言し、議会優位の統治機構を制度設計しました。議会制民主主義は、日本国憲法の制定を通じて得られたものです。自ら勝ち取ったものではなく、いわば「いただいた」ギフトです。その意味で、「恩賜的議会制民主主義」（この表現は、中江兆民『三酔人経綸問答』の「恩賜的民権」という言い回しから拝借しました）とでもいうものです。であれば、兆民が下からの「恢復的民権」の課題を示したように、私たちには、「恢復的議会制民主主義」の課題があるのではないでしょうか。私が「恢復」という表現にこだわるのは、ここに由来します。

天皇主権から国民主権への転換

天皇主権原理から国民主権原理への転換により、日本国憲法は天皇を「国政に関する権能を有しない」(四条一項)存在に無力化しました。大日本帝国憲法第一章の天皇の章では、天皇の大権作用を規定していました。天皇は主権者として、「統治権」(国を統治する権限)を独占していました。日本国憲法は一転して、天皇の国政への関与を否定し、天皇がそれまで行使してきた統治権を、国会・内閣・裁判所に再配分しました。その結果、「国会は、国権の最高機関であつて、国の唯一の立法機関である」(四一条)、「行政権は、内閣に属する」(六五条)、「すべて司法権は、最高裁判所及び法律の定めるところにより設置する下級裁判所に属する」(七六条一項)という、三権分立制が確立されました。もっとも、大日本帝国憲法が定めていた、「天皇ハ陸海軍ヲ統帥ス」(一一条)、「天皇ハ陸海軍ノ編制及常備兵額ヲ定ム」(一二条)、「天皇ハ戦ヲ宣シ和ヲ講シ及諸般ノ条約ヲ締結ス」(一三条)という軍に関する天皇大権は、日本国憲法の下では、「戦争の放棄、戦力及び交戦権の否認」を定める九条の存在によって、行き場を失い、空白化されました。

2．日本国憲法における国会中心主義のメカニズム

国会の構成と立法権

国会は、「全国民を代表する選挙された議員」(四三条一項)で組織される、衆参両議院で構成されます。議員の歳費が憲法上保障され(四九条)、議員の身分が強化されました。国会は「国権の最高機関」(四一条)とされていますが、国民主権の下での最高機関は、実際は、選挙権を有する国民(一五条)ないし憲法改正の国民投票に際して組織される国民(九六条)です。一九世紀に確立した議会中心主義において、議会は法的主権者でしたが、日本国憲法の議会中心主義は、そのような意味をもつものではありません。法的主権者は、「国民」です。

国会は、「唯一の立法機関」として、九五条が設ける憲法上の例外(地方自治特別法)を除いて、他の機関の協力なしに、両議院の可決をもって、法律を制定します(五九条)。国会以外の国家機関が、憲法上の例外(両院議院規則、最高裁判所規則、地方自治体の条例)を除いて、国会から独立してルールを作ることはできません。大日本帝国憲法の下では、帝国議会の議を経ることなしに、天皇は「緊急勅令」や「独立命令」を発することができましたが、日本国憲法はこれらを廃止しました。法律は、政治の筋道を定め、国民生活のルールや、罪を犯した者に刑罰を科すことや、国民の収入に応じて租税を課すことを定めます。国民自身によって選ばれ、国民を正当に代表する議員によって、法律が制定されることは、重要です。

立法権の限界

高校で出前授業、大学に見学に来た高校生に模擬授業をするという機会がありました。高校生に、「民主政治において多数決で決まったことは正しいことで、みんなが守らなければならないことだと思いますか」と尋ねると、素直なみなさんは、「そうだと思います」と答えてくれたり、頷いてくれたりします。しかし、この言明は正確ではありません。

憲法が民主政治のメカニズムを採用したのはなぜかというと、目的のための手段としてふさわしいと考えられたからです。目的は、日本国憲法の下で生きる人たち一人ひとりを尊重し、各人が自分の幸福を追求することを助けることです。憲法一三条は、「すべて国民は、個人として尊重される。生命、自由及び幸福追求に対する国民の権利については、公共の福祉に反しない限り、立法その他の国政の上で、最大の尊重を必要とする」として、このことを明確にしています。この目的のために、国民の代表者によって制定される法律であっても、憲法第三章に規定される基本権条項と九条の平和主義によって、実質的に限界づけられています。憲法という共通の物差しのなかで、国会で審議が行われ、法律が制定されます。憲法によって国会審議の土俵が枠づけられている、といってもいいかもしれません。これを担保する仕組みが、裁判所に与えられた違憲立法審査権です(八一条)。

憲法一三条によれば、国政は、何が自分にとっての幸福であるか、一人ひとりの国民がそれぞれ個人で判断し、その判断に基づいて自分の人生を自由に生きることを前提にしています。人々が思い描く幸福のあり方や、人生の目的や価値はさまざまです。こうした人々が一緒に社会で暮らすのは、お互いに便宜を提供しあって生きる方が、よりよく生きることができるからです。価値観の異なる人々が共存しあうためには、最低限の共通の基盤を整備する必要があります。そこで法律が介入して、基盤整備のルールを策定します。ところが、あるルールをあてはめた結果、ある人にとっては酷な状態が生じることがあります。そのようなときには、その人は、自分の苦境を裁判所に訴えます。この訴えを受けて、裁判官は憲法第三章の基本条項に立ち返り、必要があれば、法律の権威を解除すべく違憲立法審査権を発動し、その人の憲法上の権利を救い出すのです。国会の多数決で制定される法律は、いわばみんなで決めるルールです。しかし、一人ひとりの生き方にかかわることは、みんなで決めることはできません。みんなで決められない領域＝個人の領域を守るために、憲法が番人の役目を果たしています。

国会による行政権および財政のコントロール

国会による内閣ないし行政に対するコントロールには、法的コントロールとして、法律による行政の原則があります。あらゆる行政活動には、法的根拠が必要です。そして、政治的コントロールとして、内閣に政治指導を集中させたうえで、国会が内閣の政治責任を追及する仕組みがあります。まず、内閣総理大臣は国会によって指名されます(六七条)。その他の国務大臣は、内閣総理大臣が任命します(六八条)。内閣は国会に対して連帯して責任を負い(六六条三項)、衆議院で不信任決議案が可決されたなら、一〇日以内に衆議院を解散しない場合には、内閣は総辞職しなければなりません(六九条)。また、日常的に内閣の政治責任を追及する仕組みが整えられています。議院の国政調査権(六二条)、国務大臣の議院出席と答弁義務(六三条)、首相の国会に対する報告義務(七二条)などにより、内閣は国会に対し説明責任を負っています。

さらに憲法は、財政権の内容的限界を定めつつ(九条、八九条)、国会による財政コントロールの手続を定めています。議会の始まりは、財政統制にありました。このことは統治の仕組みを考えるうえで大切な点です。国家がどのようにお金を集め、そのお金をどのように使うかは、国家の性格を如実に表現するものです。誰を大事にしているのか、国家の行く末をどのように見定めているのか、予算の内訳から知ることができるからです。国家財政を国民代表のコントロールの下に置くことは、民主主義国家の欠くことができない要素です。

国会優位の議院内閣制

加えて、国会は立法権を超える権能を付与されています。例えば条約の締結に国会の承認を必要とする(六一条)ことで、内閣に単独で外交作用を行使させないようにしています。憲法改正の発議は国会が行うと定め(九六条一項)、内閣にその権限はありません。以上から、議会優位の議院内閣制が導かれます。もっとも、解散権規定は憲法上存在していません。このため、解散権の所在をめぐって論争が起きました。衆議院の解散を実質的に決定するのは内閣であることでは、一致しています。実務の上では、天皇の国事行為を定める憲法七条三号を憲法上の根拠として衆議院を解散しています。

少数派権

日本国憲法は、少数派権とも呼ぶべき定めも用意しています。各議院の総議員の四分の一以上による臨時会召集要求権(五三条)は、国会の自律的召集の可能性をもつと評価されています。また、出席議員の三分の二の特別多数による議決を要する秘密会の要件(五七条一項)、出席議員の五分の一以上による各議員の表決の会議録記載要求(五七条三項)、資格争訟による議席喪失(五五条)、懲罰としての議員除名(五八条二項)について出席議員の三分の二の特別多数による議決、衆議院による法律案の再議決についての出席議員三分の二の特別多数による可決(五九条二項)がそれにあたります。日本国憲法の国会中心主義は、国会権力(さらには多数派)への対抗力を組み込んでいることは特筆すべきことです。

3. 日本国憲法の「国民の政治」の性能

日本国憲法は、「国民主権」原理を採用し、「全国民の代表者」である「選挙された議員」から構成される国会が、国政の中心を占める制度を採用しました。歴史的な展開と比較しても、日本国憲法が設定した議会制民主主義の仕組み(二六頁、図1)は、よく制度設計されているといえます。個人に留保された領域を守るために憲法があり、違憲立法審査権によって裁判所が番人の役目を果たすことになっています。議会制民主主義の活動範囲は、「みんなで決める政治」に限られています。民主主義の名においても立ち入れない領域があることは、何度でも強調しておかなければなりません。民主主義は万能ではありません。

とはいえ、社会を変革していくためには、「みんなで決める政治」を推進していく必要があります。序章で紹介した、一八歳選挙権当事者を対象としたアンケートの結果によれば、いまの社会は「収入や就職の面で若い人たちが自立しにくい社会」で、「収入などの格差は、このままにしておいてもよい範囲を超えて行き過ぎ」ており、この格差の原因は、「社会のしくみによる面が大きい」とみています。この問題を解決することこそ、「みんなで決める政治」の課題です。そのときにも、憲法の理念が指針として役に立ちます。

「みんなで決める政治」は、多数決で決定がなされます。多数決の結果、多数派と少数派が生まれますが、憲法が定めた仕組みでは、多数派と少数派が協働して「みんなで決める政治」を運用することを予定しています。図1にあるように、有権者→国会→内閣という一連の信任の連鎖があります。そしてこれとは逆向きに、責任の連鎖があります。信任と責任の連鎖によって、アクセルとブレーキが働きます。ブレーキを働かせるのは、ことの性質上、少数派です。アクセルとブレーキがうまく機能するためには、多数派と少数派の力を均衡させるルールが大事になりますし、その均衡が実際に機能するルールも必要です。

日本国憲法は一〇三条から構成され、他国の憲法と比較して条文が少ないことで知られています。これは、技術的なルールを憲法が法律に委ねているからです。例えば日本国憲法は、選挙人の資格を含め、選挙に関する多くの事項を法律に委ねています。これを受けて、公職選挙法(以下、「公選法」という)という法律が制定されています。憲法は、国会が毎年一回召集されると定めています(五二条)が、いつ、何日間開催されるのかについては、沈黙しています。しかし、そうしたルールが存在しなければ、国会は活動できません。国会の組織や活動について定めているのが、国会法です。このように、憲法を施行するために制定された法律を、「憲法附属法」といいます。憲法典には含まれていませんが、憲法の運用を実質左右するほどの重要性をもっているところから、「実質的憲法」に含めて考えられています。しかし、あくまでも「法律」ですから、憲法本体の外付けです。工場直出しでは「みんなで決める政治」にとって性能が良かった議会制民主主義のメカニズムが、外付けの法律で改造されて、「みんなで決める政治」の性能を失うことさえあります。第Ⅱ部では、「選挙制度」を通して、この問題を考えてみましょう。

第Ⅱ部

有権者の意思表明のツールとしての選挙制度

日本国憲法が想定する議会制民主主義のメカニズムに魂を入れ、それを動かす原動力のみなもとにいるのは、一人ひとりの有権者です。有権者が意思表明を行うルートが選挙です。日本国憲法は、選挙に関するいくつかの原則(普通選挙・秘密選挙・平等選挙・自由選挙)を定めています。この原則に従って、具体的な選挙制度を策定するのは、立法者(国会)の仕事です。

有権者の示す意思は、それ自体、把握することは困難です。選挙制度は、これを目に見えるようにするための装置です。民意は水のようなもので、容器の形と色で見え方が変わります。選挙制度は、大きく分けて、多数代表制(以下、「多数制」という)と比例代表制(以下、「比例制」という)に分かれます。

多数制は、ある選挙区で多数の支持を受けた候補者やグループのみが代表となる制度で、政権党に権力を集中させる傾向があります。

比例制は、選挙区に複数の議席が割り当てられて、その議席が得票比率に応じて複数の政党に配分される制度です。この制度の下では、議会に多様な政党が進出し、政権を獲得するために複数の政党の連立が常態化する傾向があります。このようにどの選挙制度を外付けするかで、議会制民主主義のメカニズムの作動の仕方が異なってきます。

「民意」というエネルギーが選挙制度を通じてどのように変換されて議会制民主主義のメカニズムに伝わるのか、その仕組みを知ることは面倒なようですが、「みんなで決める政治」を実現するためには知っておきたいことがらです。選挙制度の仕組みを知ることは、その利用を制する力になるからです。

第4章　メンバーシップとしての選挙権

1．選挙権と成年

一八歳選挙権

日本国憲法は、「公務員を選定し、及びこれを罷免することは、国民固有の権利である」（一五条一項）としたうえで、「公務員の選挙については、成年者による普通選挙を保障」しています（一五条三項）。長年、成人（＝二〇歳）の式典が各自治体で盛大に行われてきましたから、「成年＝二〇歳」が当たり前のように思っている人も多いかもしれません。成年者が何歳であるかについて、憲法上の定めはありません。

二〇一五年六月の公選法改正によって、選挙権年齢が二〇歳から一八歳に引き下げられました。これは、「日本国憲法の改正手続に関する法律」で投票権年齢が一八歳に定められた（三条）ことに連動しています。民法の成年年齢も二〇二二年四月一日以降、一八歳になります。ただし、若い人たちを特定の悪影響から保護することを目的に規制を設けている、未成年者喫煙禁止法、未成年者飲酒禁止法、競馬法などは、二〇歳の要件を維持することになっています。

日本が選挙権年齢を二〇歳に定めた当時（一九四五年）、選挙権年齢を二一歳にしていた国が多く、むしろ日本の選挙権年齢は若い部類に入っていました。ところが今や一八歳選挙権は世界の趨勢で、一九一の国と地域のうち九二％が一八歳の選挙権を導入しています。オーストリア、キューバ、アルゼンチンなどでは、選挙権年齢は一六歳です。

選挙に立候補して代表になる資格を「被選挙権」といいます。被選挙権年齢については、選挙権年齢に連動させる考え方があります。イギリスでは二〇一五年の総選挙で、二〇歳の大学生マリー・ブラックさんが下院議員に当選しましたし、ノルウェーでは、高校生の国会議員候補者という例があります。日本では、被選挙権年齢は選挙権年齢より上に設定されています。現在、衆議院議員、地方議会議員、市区町村長の年齢条件が二五歳以上、参議院議員、都道府県知事の年齢条件が三〇歳以上と定められています。被選挙権年齢は、選挙権年齢が引き下げられたことのかかわりで、再考する余地がありそうです。

選挙権を取り戻す

選挙権について最高裁は、「国民の国政への参加の機会を保障する基本的権利として、議会制民主主義の根幹を成すものであり、民主国家においては、一定の年齢に達した国民のすべてに平等に与えられるべきもの」（最高裁二〇〇五年九月一四日大法廷判決）として、その意義を明らかにしています。一つの事例からそのことを考えていきたいと思います。

Nさんの長女であるTさんは、生後まもなく心身の発達が遅いなどの特徴をもつダウン症と診断されました。NさんはTさんに、「選挙は国民の義務だから行くものだ」「誰に投票してもいい」「誰に投票したかはいわなくていい」、この三つを教え、以後二七年間、一度も棄権することなく、選挙に親子で参加してきました。

しかし財産管理や計算の苦手なTさんのため、父親であるNさんを後見人として、成年後見の審判を受けました。成年後見制度とは、認知症、知的障がい、精神障がいなどの理由から、判断能力が十分でない人の生活を保護・支援するため、財産管理や法律行為を成年後見人等が本人に代わって行う制度で、急速な高齢化や介護保険制度の導入などを背景に、二〇〇〇年に始まりました。成年被後見人となったTさんには、選挙のたびに送られてきていた投票所入場券が届かなくなりました。公選法一一条一項一号が、成年被後見人の選挙権を制限すると定めていたからです。成年後見制度が導入された結果、成年被後見人の選挙権は剝奪されたのです。Nさんが成年後見の手続を進める段階では、成年被後見人になると選挙権がなくなるという説明はなく、自分の選挙権ではないこともあり、Nさん自身、「あまり気に留めて」もいませんでした。

ある日、Tさんが言った「成年後見なんてなければいい」の言葉にNさんは初めてTさんの大切な選挙権を奪っていたことの重大さに気づき、何とかしなくてはならないと思ったそうです。

Nさんはその後、「被後見人と、それ以外の人々の一票の重さに、違いなどないのです。計算や金銭管理ができないからといって、参政権という国民としての重大な権利が奪われていいのでしょうか。選挙において判断力の弱い障害者が不正に誘導される可能性は否定できませんが、不正誘導した者に厳罰をもって臨むべきで、だから選挙権を奪うと結論することはおかしいのです。Tは二七年間きちんと選挙をしていたのですから」と語っています(東京人権啓発センター「TOKYO人権」第六二号、二〇一四年五月三〇日)。

Tさんは、二〇一一年二月一日、成年被後見人の選挙権回復を求めて、東京地方裁判所に提訴しました。同様の訴えは、各地で提起されました。その先陣を切って、二〇一三年三月一四日、Tさんの訴えに対して、東京地方裁判所は、選挙権を「民主主義国家におけるプレイヤー」の地位と位置づけ、選挙権を実際に行使することが困難であるという「障害」をもって、ただちに「選挙権又はその行使を制限するためには、そのような制限をすることが「やむを得ない」と認められる」ことにはならないとし、成年後見制度を選挙権剥奪の事由とした公選法の規定を違憲と判断しました。この判決は、選挙権をもたないということは、民主主義国家においてプレイヤーとしての地位がないということ、要するに、完全な市民としての地位をもたない二級市民であることを明らかにしました。市民を資格において区別することは、個人の人格の根源的平等を尊重する憲法が容認するところではありません。

判決後、定塚（じょうづか）裁判長は、Tさんに向かって「どうぞ選挙権を行使して社会に参加してください。堂々と胸を張って、いい人生を生きてください」と語りかけました。

この判決は地方裁判所の判断でしたから、控訴審、上告審と上級裁判所の判断を仰ぐ可能性がありました。しかし、この裁判が大々的に報じられ、同様の提訴が各地でなされていたことから、国会がいち早く対応しました。二〇一三年五月二七日、成年被後見人の選挙権を制限していた公選法の規定を削除し、代理・期日前・不在者の各投票について不正行為防止のための措置をとることを内容とする改正法律が成立しました。この日、成年被後見人一三万六〇〇〇人の選挙権が回復されました。選挙権年齢に達すれば、一律にみな、同じ社会のメンバーの証として、選挙権を行使できるのです。

2. 選挙権が保障されていることの意味

選挙人名簿への職権による登録

選挙権が「憲法上保障された権利」であるとして、それがどのような法的意味をもつのでしょうか。選挙権を行使するためには、市区町村の選挙管理委員会が管理する選挙人名簿に登録されなければなりません。日本では、選挙管理委員会が住民基本台帳を利用して、新しく選挙権年齢に達する人を含め、職権で選挙人名簿を作成します。選挙の際にはこの名簿をもとに、投票所入場券が送られてきます。

諸外国には、アメリカ合衆国のように、投票するためには、選挙人名簿に自分の名前を載せてもらうよう、自分の住んでいる住所地の選挙管理委員会に申請しなくてはならない国が多くあります。事務手続が煩雑（はんざつ）なので、その手続をサポートするために政党が発達しました。自ら進んで登録をすることで、有権者としての権利意識が強くなるともいわれています。

在外国民の選挙権の行使

グローバル化の進展で、海外で活躍する日本人も増えました。勤務の都合で外国に駐在する人、外国に留学する人、活動の拠点を海外に求める人も大勢います。そういう人たちは、国内に住所がないため住民基本台帳に載らないことから、選挙管理委員会の職権によって選挙人名簿に登録されません。そうすると、選挙権者でありながら、選挙の際に投票ができないことになります。一九九六年一〇月二〇日に実施された衆議院議員総選挙において投票できなかった海外在住の人たちが、選挙権を行使できなかったことは憲法違反だとして訴訟を提起しました。この訴訟の第一審が係争中の一九九八年になって、在外投票制度が設立されました。その対象は、衆議院比例代表選出議員の選挙と参議院比例代表選出議員の選挙にとどまりました。選挙区選挙については行使できないままでした。

二〇〇五年九月一四日の最高裁大法廷判決は、「自ら選挙の公正を害する行為をした者等の選挙権について一定の制限をすることは別として、国民の選挙権又はその行使を制限することは原則として許されず、国民の選挙権又はその行使を制限するためには、そのような制限をすることがやむを得ないと認められる事由がなければならない」、「このことは、国が国民の選挙権の行使を可能にするための所要の措置を執らないという不作為によって国民が選挙権を行使することができない場合についても、同様である」という原則を承認しました。海外在住者にも可能なかぎり選挙権行使の機会を保障すべきであるとしても、その範囲、選挙区、選挙情報の与え方、投票の秘密・選挙の公正を保持しうる投票方法、さまざまなタイミングなど、制度づくりについて考慮すべき諸点があります。同判決は、たとえそうであっても、「国には、選挙の公正の確保に留意しつつ、その行使を現実的に可能にするために所要の措置を執るべき責務がある」として、海外在住だからといって選挙権が行使できなくてもやむを得ないとはいえないとして、違憲判断を導きました。選挙権を有する人が実際に投票できるように整備する義務を国は負っている、という厳しい判断です。

この訴訟を機縁として、選挙区選挙を含めて国政選挙で投票することができるように法律が改正されました。海外に居住する人を対象に在留届の提出時などに、住んでいる地域の日本大使館・総領事館に在外選挙人名簿への登録申請が行われます。

投票の便宜を図るための制度

「選挙権があれば投票の機会が保障されていなければならない」とすると、国は、海外に住む有権者のみならず、国内の有権者のさまざまなニーズに対応して、投票の機会を保障しなければなりません。法改正が重ねられ、そのための制度が整えられています。主なものに、期日前投票制度と不在者投票制度があります。

選挙の当日に用事があって投票できない人が、選挙期日前であっても、選挙期日と同じ方法で投票を行うことができる仕組みが、期日前投票制度です。最近は、買い物や通勤・通学のついでに立ち寄れるような、なるべく便利な場所で、期日前投票ができる傾向があります。仕事や旅行などで、選挙期間中、名簿登録地以外の市区町村に滞在している人は、滞在先の市区町村の選挙管理委員会で不在者投票ができます。また、指定病院等に入院している人などは、その施設内で不在者投票ができます。

他方、住民の減少などを理由に投票所が統廃合され、投票所が遠くなるケースもあります。移動手段をもたない人にとっては、投票の機会を奪われる結果になりかねません。移動式の期日前投票所を地域に循環させる工夫などが必要と考えます。

点字投票と代理投票

視覚障がい者である選挙人は、その旨を投票管理者に申し立て、点字によって投票を行うことができます(公選法四七条)。郵便投票が認められるほど重い障がいではないけれど、投票用紙に自分で字を書き込むことが難しい人は、投票所に赴き、投票事務従事者(係員)に投票先を告げて、代筆してもらうことになっています(四八条二項)。これは、先に述べた成年後見制度による被後見人にも投票が可能であるようにするために設けられた制度です。不正防止を目的に、代筆者を係員に限ったのです。この制度が設けられるまでは、障がいのある人はヘルパーに代筆を頼んで投票することができました。改正によって、代筆者を係員に限ったことから、憲法上保障されている「投票の秘密」が守られなくなっています。それが嫌なら棄権するしかありません。「信頼関係が築けていない係員に「投票の秘密」を知られるのは不合理だ」として、大阪で、障がい者代筆投票訴訟が提起されています。

憲法は「すべて選挙における投票の秘密は、これを侵してはならない。選挙人は、その選択に関し公的にも私的にも責任を問はれない」(一五条四項)と定めています。誰に投票したか、そもそも投票に行ったか、行かなかったかも含めて、「投票の秘密」が保障されています。その狙いは、「誰に投票したか」について他者(公的機関のみならず、社会的権力や私人を含みます)から不当な圧力を加えられることを防ぐことにあります。もっとも、公選法が自書式(四六条一―三項)を採用しているため、投票が個性化し、投票数がそれほど多くない選挙区では、秘密が保たれない可能性があります。そこで公選法は、地方公共団体の議会の議員または長の選挙について、記号式投票を容認しています(四六条の二)。県レベルでは、二〇一九年現在、青森県、岩手県、島根県、大分県、熊本県の知事選挙に記号式投票が導入されています。

3. 棄権は「危険」

低投票率は有権者の意思

世界には、投票率が九〇%を超える国があります。その一つが、オーストラリアです。一九二四年に義務投票制が導入され、正当な理由なく投票しないと、二〇オーストラリアドル(約一五〇〇円)の罰金が科せられることになっています。罰金支払いの通知を無視すると、再度の通知で五〇オーストラリアドルに増額されます(山本健人「オーストラリア」前掲『世界の選挙制度』)。ベルギー憲法は下院議員選挙の「投票は義務」(六二条三項)と定め(上院議員については、間接選挙制)、違反者には罰金が科せられ、棄権の頻度によっては選挙権が一定期間停止されます。

多くの国では、自由選挙が原則です。投票するかどうかは個人の自覚に待つべきで、強制できないという考えに立っています。デンマーク、ノルウェーなどの北欧諸国を例外として、一九九〇年代と比較して、OECD諸国では全般的に投票率は下落傾向にあります。平均で七五・三％から六七・五％へ低下しました。日本の投票率は、直近の二〇一七年の衆議院議員選挙で五三・六八％、二〇一九年七月の参議院議員選挙は四八・八〇％でした。

国政選挙ではないのですが、一九八一年四月、投票率二五・三八％、有権者全体の一一・二％の得票率で千葉県の知事が決まったことがありました。少ない得票で知事が決まったことについて、政府は、「投票について選挙人の自由に委ねている現行制度（任意投票制）の下では、選挙に参加した有権者の投票結果をもつて全有権者の意思の反映があつたものと考えることが適当であり、当選人となるための得票の基準は、現実に選挙において表明された有権者の意思表示、すなわち、有効投票を基礎として定めることが妥当である」との考えを示しています（内閣衆質九四第二八号、一九八一年四月一四日）。

年齢別投票率

投票率が低いということは、実際に投票に行ったのはどういう人なのかで、民意が決まる

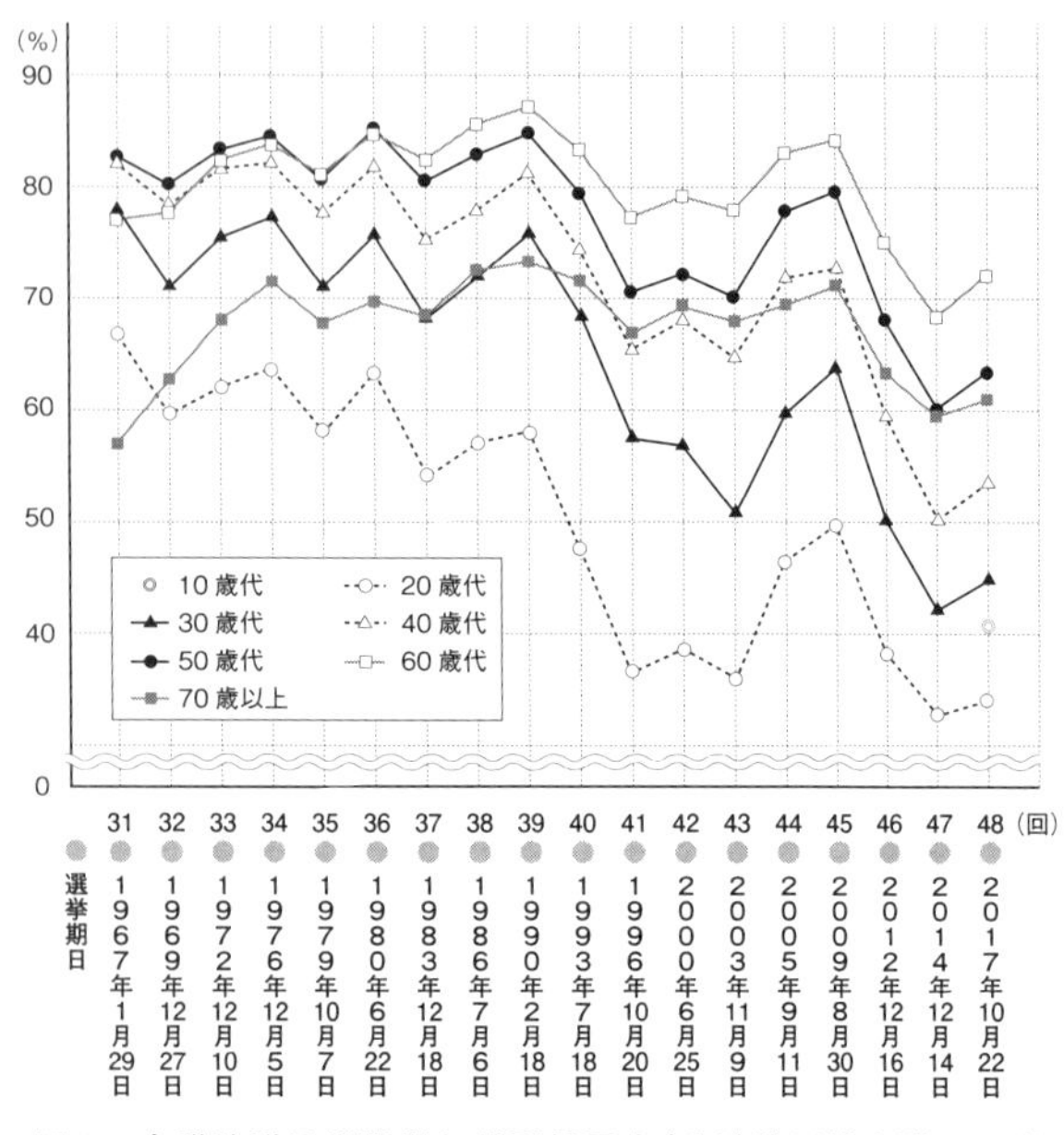

図２　衆議院議員総選挙年代別投票率（公益財団法人明るい選挙推進協会のHPをもとに作成）

ことを意味します。投票に行ったのは、組織によるいわゆる「動員」票や、「意識高い系」の人たちがその主流をなしていると考えるのが自然でしょう。そういう人たちが、「全国民」のためを考えて投票しているという想定が成り立たないことは、過去の選挙権拡大運動の意義を振り返れば、想像することは容易です。

日本の現状では、有権者のほぼ二人に一人しか、議会制民主主義に魂とエネルギーを注力していません。「二人に一人」という割合が、数値的に日本の有権者の縮尺を表示しているわけではありません。図形でも、縮尺の数値が不均質であると、まったく別の図形になってしまうことは、皆さんもご存じの通りです。実際にどういう人が投票に行っているのかという観点からの統計資料の一つが、年齢別の投票率です。図2は、衆議院議員総選挙年代別投票率の推移を示したグラフです。

三〇歳代以下と四〇歳代以上で明らかに投票率の開きがあることが分かります。若い人の投票率が低いのは最近の傾向ではありません。それでも一九八〇年前後一〇年間は、全体の投票率から一〇%程度の乖離(かいり)でした。最近では、二〇%の乖離があります。二〇一四年の衆議院議員総選挙では、全体の投票率は五二・六六%、二〇歳代の投票率は三二・五八%、二〇一七年は全体の投票率は五三・六八%、一〇歳代四〇・四九%、二〇歳代三三・八五%でした。

シルバー民主主義も有権者の意思?

少子高齢化でそもそも若い人の数が少ないところ、投票率が低いということは、実際に投票する若者の数が一層少ないということです。他方、選挙というのは、より多くの票を獲得しなければ当選に至ることはできません。当選を目指すのであれば、より多くの票を獲得するために、投票をしてくれそうな人々に向けての政策を打ち出して支持を訴えることになりがちです。こうしたことから、「シルバー民主主義」という言葉が生まれました。少子高齢化の進行で有権者に占める高齢者（シルバー）の割合が増し、高齢者層の政治への影響力が増大する現象です。選挙に当選したい政治家が、多数派の高齢者層に配慮した政策を優先的に打ち出すことで、少数派である若年・中年層の意見が政治に反映されにくくなり、世代間の不公平につながるという批判が生まれています。この問題は、未来に対する閉塞感を生み出しているという疑いがあります。

現代の若者が直面する問題は、個人レベルの努力でしのげる域を超えています。まさしく政治の出番であるはずなのに、それに着手する政治の動きが現れていません。若者層の低投票率は、若者が置かれている状況の放置を政治に許しているのです。

図3は古い統計ですが、「世代ごとの生涯を通じた受益と負担」を表しています。例えば、六〇歳以上ですが、上向きの棒グラフと下向きの棒グラフが二つあります。上の棒グラフは、六〇歳以上の世代が、生まれてから亡くなるまでの間に、政府から受け取る受益を示したものです。そこには、社会保障の年金や医療、介護、さらにそれまで受けてきた教育の受益が足し合わされています。他方、下の棒グラフは、六〇歳以上の方々が過去に払ってきた、税

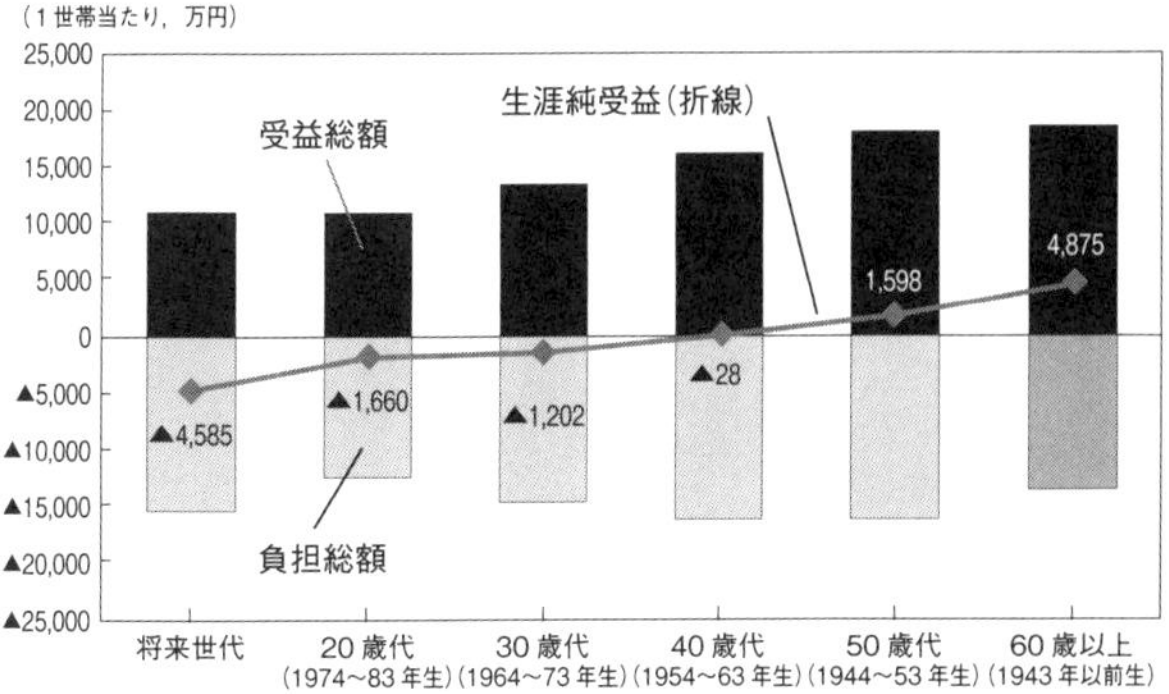

図3　世代ごとの生涯を通じた受益と負担(財務省HPより．内閣府「平成17年度 年次経済財政報告」をもとに作成)

金や社会保険料といった負担をすべて足し合わせたものです。上と下の棒グラフの差が、折れ線グラフです。これは生涯に受け取る受益と、生涯に負担する税金や社会保障の差を示しています。ここから読み取れることは、六〇歳以上の世代では四八七五万円の得になる一方で、二〇歳未満の将来世代は四五八五万円の損をするということです。

格差問題は政治問題

問題はこのグラフだけではありません。正規雇用と非正規雇用の原則と例外が逆転したような今日(こんにち)、大学のキャリアセンター(大学生の就職活動を支援する部署)では、生涯賃金の差を「札束の山」で「見える化」して、学生に正規雇用の職に就くことを促しているご時世です。トマ・ピケティ『二一世紀の資本』は、二〇一三年にフランスで公刊されました。翌年に英語版が出版され、専門書としては異例の世界的ベストセラーとなったのも、この傾向と無縁ではありません。同年末、日本でも翻訳本(山形浩生ほか訳、みすず書房、二〇一四年)が出版されました。

この本の中で、ピケティ教授は、資本の収益率(株や不動産、債券などに投資することで財産が増えていく成長率)は所得成長率(給与所得者の賃金が上がる率)を上回り、資本主義は放置すると格差が拡大することを、資料的裏付けをもって明らかにしました。それによると、主に資産運用によって財産を築いている富裕層は、株や不動産を保有しているだけで、多大な利益を獲得できます。一方、平均的労働者は働けども賃金はゆるやかにしか上がらない(日本の現状は、ほとんど上昇していません)、賃金を貯蓄したところで大きく増えるわけでもないという状況があります。

AIを含めた技術革新が進み、最新技術が導入されると作業効率が上がり、労働者は職を奪われます。富裕層はそうした技術に投資して、ますます利益を得ることができます。「持てる者」はますます豊かに、「持たざる者」はますます貧しくなる構図です。機会が平等に与えられたうえで、努力して得た財産に差が生まれるのは仕方がないかもしれません。しかし近年は、働かずとも相続によって利益を増やしている層が増大しています。特に、先進国では少子化が進んでおり、祖父母や両親の財産を子が一身に受け継ぐことも少なくありません。裕福な家庭に生まれた人は、さらに裕福になることが約束されています。

ピケティ教授は、日本も典型的な格差社会だと診断しました。問題は、親の経済的格差によって子どもの教育の機会に不平等が生じ、それが次世代の格差を生み、経済格差の悪循環に陥ることです。教授は、「民主国家である以上、資産を獲得する競争が止まることはあり得ないので、中間層に対して減税し、かつ高所得者の資産に対して増税するという政治的な対策が必要である」、「民主主義なのだから、我々一人ひとりが平等な社会を目指して動き出せば変わるはずだ」という趣旨を前掲書の中で提言し、未来を変えるための政治意思表明を若者に促しています。二〇一六年アメリカ合衆国の民主党大統領候補者指名レースで、「民主社会主義者」を自認するバーニー・サンダース候補が若者を中心とする支持を集めた現象も、教授の主張に重なります。

「権利の上に眠る者は保護されず」という法諺(ほうげん)(法格言)があります。ひらたくいえば、「権利が保障されていても、行使しなければ、その果実は得られない」、それどころか、権利自体も形骸化(けいがいか)してしまいます。これは、選挙権についてもあてはまります。最高裁がどんなに高らかに選挙権の権利性を語っていても、有権者が実際に投票に行かないのであれば、選挙権がないのと同じです。

選挙で問われることは、政治で日本の針路をどこに向かわせるのか、議会制民主主義を運転してどこに向かうのか、という日本の行く末なのです。多くの人が政治に関心がなければ、あるいは自分には関係ないと思い込んで政治を知ろうとしないのであれば、政治によって日本が向かう先は、少数の人々の決定に委ねられてしまいます。少数者に委ねられたとしても、それが「全有権者の意思の反映」とみなされるのです。

4. 一人一票と投票価値の平等

平等選挙の原則

普通、直接、自由、秘密選挙とともに現代選挙制の基本原則として、選挙人の投票の価値をすべて平等に取り扱う平等選挙の原則があります。日本国憲法は、法の下の平等(一四条一項)と、公務員の選挙について成年者による普通選挙を保障するとともに(一五条三項)、人種・信条・性別・社会的身分・門地・教育・財産または収入による差別を禁止しています(四四条)。選挙権の平等は、一人一票をもつ(one person, one vote)ことです。この数的

表1　等級選挙

	選挙人数	納税額	議員数
1級	13人	4,363,501円	12人
2級	84人	4,343,166円	12人
3級	601人	4,322,390円	12人
計	698人	13,029,057円	36人

（横浜市HP「選挙権と被選挙権」のcolumnより）

平等の要請からすれば、高額納税者であること（あるいは大学卒業資格をもつこと）を理由に複数の投票権を与えるような制度（複数投票制）の禁止は明らかです。

形式上は一人一票の原則が守られていても、一票の価値の平等を損なう制度も存在していました。横浜市のHPに掲載されているコラム（https://www.city.yokohama.lg.jp/city-info/senkyo/system/kyoken.html）によれば（表1）、一八八九年に横浜は「市」になり、同時に市会が誕生しました。「当時の市会議員選挙は、納税総額を三等分し、各級から同数の議員（一二人）を選出する方法」で、これを等級選挙といいます。プロイセンで実施されていた「三級投票制」をまねたものと思われます。納税額が多く人口が少ないグループの「一票の価値」を著しく高め、納税額が少なく人口が多いグループの「一票の価値」を低める仕組みです。もっとも、当時は直接国税二円以上を納める二五歳以上の男子だけという厳しい制限選挙だったことから、大半の選挙人が議員というありさまで、金持ちが金持ちを選ぶ、自分たちだけの選挙でした。

等級選挙のように、ことさらに投票価値の不平等を作り出そうとするものではありませんが、選挙区ごとに配分される議員定数と人口との不均衡によって、それと同様の現象が生じることがあります。あるいは、選挙区割りによって生じる選挙区人口の不均衡があります。これが「一票の較差」と呼ばれる問題です。

一票の較差問題

選挙区の区切り方、各選挙区への配分議席数によって、ある選挙区の有権者の一票と別の選挙区の有権者の一票の投票価値に違いが出てきます。選挙区選挙という制度にかかわって生じる問題です。衆議院議員選挙について投票価値の不平等を初めて違憲としたのは、中選挙区制時代の一九七六年四月一四日の最高裁大法廷判決です。この判決は、投票価値の平等が憲法上の要請であるとしつつ、こう述べました。①「代表民主制の下における選挙制度は、選挙された代表者を通じて、国民の利害や意見が公正かつ効果的に国政の運営に反映されることを目標とし、他方、政治における安定の要請をも考慮しながら、それぞれの国において、その国の事情に即して具体的に決定されるべきもの」で、具体的な選挙制度の仕組みは国会で決める、②「具体的に、どのように選挙区を区分し、そのそれぞれに幾人の議員を配分するかを決定するについては」、各選挙区の人口と配分議員定数との比率の平等が「最も重要かつ基本的な基準」だとしても、具体的な区割りをする際にはほかに考慮すべき要素(例えば都道府県のような行政単位)がある、③そうした事情があったとしても、本来、議員定数配分規定は、「選挙区別議員一人あたりの人口数の開きをほぼ二倍以下にとどめることを目的」としているところ、その後の人口変動で「その開きは、約五対一の割合に達していた」選挙人の投票価値の不平等は、「正当化すべき特段の理由をどこにも見出すことができない」ことから、違憲であると結論づけました。しかし、選挙が無効だとはされませんでした。選挙を全体として無効とすると、立法的に是正する代表者がいなくなって不都合が生じるということで、違憲の宣言にとどまりました。

この論理は、小選挙区比例代表並立制に選挙制度が移行した後も踏襲されました。衆議院議員選挙区画定審議会設置法三条一項(平成二四年法律九五号による改正前)は、選挙区間の投票価値の較差二倍未満を基本として区割りすることを規定しました。しかし、「各都道府県への定数の配分については、投票価値の平等の確保の必要性がある一方で、過疎地域に対する配慮、具体的には人口の少ない地方における定数の急激な減少への配慮等の視点も重要である」ことから、「一人別枠方式」が採用されました。「一人別枠方式」とは、小選挙区三〇〇議席(当時)のうち、まず四七都道府県に一議席ずつを「別枠」として割り当て、残り二五三議席を人口に比例して配分する方式です。

激変緩和措置としての一人別枠方式は、「新しい選挙制度が定着し、安定した運用がされるようになった段階」で、その合理性を失います。選挙区間の較差が「最大で二・三〇四倍に達し、較差二倍以上の選挙区の数も増加」した状況で、「一人別枠方式」および、それに基づいて定められた選挙区割りは、「憲法の投票価値の平等の要求に反する状態」(違憲状態)に至っていました。もっとも、最高裁二〇一一年三月二三日大法廷判決は違憲の判断をしませんでした。国会が違憲状態であることを認識してからそれを是正する立法措置をとるためには、それ相応の期間を必要とするが、その「合理的期間」がまだ経過していないというのが、その理由でした。

その後の最高裁は、「憲法秩序の下における司法権と立法権との関係」を理由に「違憲状態宣言」をするにとどめ、立法者に対応を促す傾向にあります。これは選挙権が立法者の制度形成に依拠せざるをえない権利であることに加え、「具体的な選挙区を定めるに当たっては」、立法者が「国政遂行のための民意の的確な反映を実現するとともに、投票価値の平等を確保するという要請との調和を図る」役目を負っているからです（最高裁二〇一五年一一月二五日大法廷判決）。とはいえ、投票価値の較差を二倍未満にすることは、立法者が自らに課した約束です。自らが決めたことを守るよう、最高裁は厳しく国会に求めています。そのうえで、「国政遂行のための民意の適確な反映」が選挙制度の設計の要点となります。何をもって立法者が「民意の適確な反映」としているのか、選挙制度を評価することが可能になるはずです。次章では、この点から選挙制度について考えてみましょう。

第5章　選挙制度を疑う

ここでは、国政選挙に関する選挙制度を取り上げます。衆議院議員の選挙制度と参議院議員の選挙制度です。両院の議員は、「全国民の代表」です。二院制を採用しているのはなぜかといえば、民意を多角的に国政に反映するためだと説明されています。そのために、各議院について独自の選挙制度が採用されています。二〇一八年には、代表の「質」に立ち入った重要な法律が制定されました。「政治分野における男女共同参画の推進に関する法律」(以下、「推進法」という)です。本章では、この二つの選挙制度と「推進法」の概要とその意義について述べていきます。そのうえで、今日(こんにち)の選挙が「政党本位」であることから、政党を選ぶことの意味について、考えてみたいと思います。

1. 衆議院議員の選挙制度

選挙制度改革

内閣総理大臣の指名については、憲法上、衆議院の指名が優越し(六七条)、歴代の内閣総理大臣はすべて衆議院議員です。衆議院議員の総選挙は、政権選択選挙の意味をもちます。

衆議院議員選挙について、日本は長らく、一つの選挙区の定数がおおむね三から五までの中選挙区制と呼ばれた独特の仕組みを採用してきました。政権を維持するために単独過半数の議席を確保しなければなりません。そこで自民党は、各選挙区において、必ず複数の当選者を出すように、公認候補を擁立しました。他方、野党は過半数の候補者を擁立することなく(例外は、一九五八年の一度だけ)、政権をとる構想をもっていないのが実情でした。

自民党による政権の独占が続く中、自民党の候補者にとっては、野党というより、同じ自民党の候補者がライバルになりました。このため、自民党の候補者は、別の自民党の候補者と自らとの差別化を図り、個人後援会を組織し、票固めを行う必要に迫られました。そのための政治資金を調達したのが、派閥(はばつ)と呼ばれる党内グループです。派閥は、内閣総理大臣候補を擁立する機能も果たし、党内疑似政権交代を実現する基盤となりました。一面で派閥間競争は党内に活力をもたらしましたが、派閥維持に莫大な資金が必要でした。こうして派閥政治は、政治腐敗(金銭獲得のために利権を前提とした収賄など、権力を利用して不当な利益を得ること、公私混同)や金権政治(多額の金銭を駆使することで政治権力を掌握・行使すること、時に金銭授受によって利益団体のために政策を歪めることもある)の温床になっていました。一九八八年には、ロッキード事件に続く、政党政治の根幹を揺るがすような、大型疑獄事件が起きてしまいました。いわゆるリクルート事件です。

この疑獄事件で、内閣は退陣を表明しましたが、苦境の中で「金権政治や政治腐敗といった中選挙区制の弊害は、選挙が個人本位になっているからだ」として、抜本的な政治改革を打ち出しました。それは、政権交代可能な、「国民本位、政党本位の政党政治」を実現するために、小選挙区制を導入し、少数派のためにも比例代表制を加味するという内容のものでした。こうして、現行の選挙制度への改革が宣言されました。実際にこの選挙制度改革が実現したのは、一九九四年、細川非自民連立政権の下でした(清水真人『平成デモクラシー史』)。

小選挙区比例代表並立制の仕組み

小選挙区比例代表並立制は、現行(二〇二〇年一月現在)、次のような制度です。衆議院議員の定数四六五人のうち、二八九人を小選挙区選出議員、一七六人を比例代表選出議員としています。有権者は各自二票を投じ、小選挙区では候補者一名の氏名を自書し、比例代表選挙では政党等の名称または略称を自書します。

小選挙区は定員一人で、最多得票数を得た候補者が当選します。大きな政党による勝者総取りの傾向が強くなりますので、有権者の多くの票が死票となり、得票数と議席数が釣り合わないという非比例性の問題が生じます。

比例代表選出議員は、全国を一一のブロックに分けて選出されます。議員定数は、北海道八人、東北一三人、北関東一九人、南関東二二人、東京都一七人、北陸信越一一人、東海二一人、近畿二八人、中国一一人、四国六人、九州二〇人です。各党(その他の政治団体)の得票をブロック単位で集計し、ドント方式(各政党の得票を一から順に整数で割り、その商の大きい順に議員定数に達するまで当選人を決めていく方法)を用いて議席配分を行い、名簿登載者の上位から順に当選者が確定される方式(拘束名簿式)が採用されています。言葉だけでは分かりにくいので、定員一〇人の架空の選挙区を想定して、数字を使って考えてみましょう。表2の選挙区では、A〜Eの政党が候補者名簿を提出し、A党六三万票、B党五四万票、C党三六万票、D党二七万票、E党一八万票を獲得しました。ドント方式は、一から順に整数で割っていくものです。表の一段目の列が、その整数を表します。各政党の得票数をこの整数で割って得られた商を書き込むと、表2のようになります。次に、商の大きな順に

表２　ドント方式の議席配分

	1	2	3	4	5
A	630,000	315,000	210,000	157,500	126,000
B	540,000	270,000	180,000	135,000	108,000
C	360,000	180,000	120,000	90,000	72,000
D	270,000	135,000	90,000	67,500	54,000
E	180,000	90,000	60,000	45,000	36,000

（筆者作成）

数字を並べてみます。六三万、五四万、三六万、三一万五〇〇〇、二七万(二つ)、二一万、一八万(三つ)となります。ここで一〇議席が確定します。A党は三議席、B党も三議席、C党は二議席、D党は一議席、E党も一議席という配分になります。

「並立制」では、多数制の選挙と比例制の選挙が独立して実施されます。多数制の部分で政党得票率と議席率が食い違う非比例性が生じますが、これを比例選挙区で修正する趣旨ではありません。どれだけの議席をそれぞれに割り振るかが重要になります。日本の場合は多数制に多く議席を割り振っていますので、全体としても多数制の色彩が強くなります。

日本の「並立制」のもう一つの特徴は、政党その他の政治団体の候補者に限って、小選挙区と比例区への重複立候補が認められ、小選挙区で敗れた候補者が比例代表制で「復活」できる点です。復活当選した議員が「ゾンビ議員」と呼ばれるように、あまり評判の良い制度ではありません。重複立候補者には、名簿の順位が同一であることが多く見受けられます。それぞれの議員に小選挙区で競争させることを狙っているからです。この場合は、各小選挙区における惜敗率（小選挙区における当選者得票数を分母とし、当該小選挙区候補者得票数を分子とする商の値）が最も高率である者が当選者となります。候補者個人の能力や人気に加え、選挙区の対立候補者との関係で惜敗率が決まります。二〇〇〇年の法改正後、小選挙区選出議員の選挙において、得票数が供託物没収点（有効投票総数の一〇分の一）に達しなかった重複立候補者は、比例代表選挙においても当選人となることができなくなりました。

小選挙区での票割れ効果

小選挙区では一人しか当選しませんから、本来は協力できるはずの政党同士がそれぞれ候補者を擁立すると、「票割れ効果」が生じます。その結果、漁夫の利を得るのが、それらの政党とは支持層の異なる政党です。

その有名な例が、二〇〇〇年のアメリカ合衆国の大統領選挙での出来事です。そのときの共和党有力候補がジョージ・ブッシュ、民主党有力候補がアル・ゴアでした。事前の世論調査ではゴアが有利でしたが、実際に勝利したのはブッシュでした。その原因が第三の候補者、ラルフ・ネーダーの存在だといわれています。消費者運動で名を馳せたネーダーは、二大政党制に異議を申し立て、勝ち目のない大統領選に立候補しましたが、支持層がゴアと重なっていました。接戦だったフロリダ州やニューハンプシャー州で、ブッシュとゴアの得票差をネーダーの得票が上回るという事態が発生しました。専門家はこの事態がブッシュの勝利に大きな影響を及ぼしたとみています。票割れが起きて、ブッシュを利したわけです。

フランス大統領選挙は直接制で、過半数の得票で大統領が選出されるよう、二回投票制で実施されます。二〇〇二年の大統領選挙で、左翼を支持する有権者は、それまで首相として政権を担っていた社会党の候補者を批判して、「投票に行かない」という選択をしました。その結果、決選投票に残ったのは、保守派の候補者と移民排斥を主張する極右政党の候補者でした。そこで左翼支持者は「鼻をつまんで」保守派の候補者に投票しました。このように「よりましな選択」をすることで最悪を回避することを、「戦略的投票」といいます。

大統領選挙の小規模バージョンが、小選挙区の選挙で起きます。選挙に勝つことを考えるなら、票割れが起きないよう、あらかじめ大きな政党に集約しておく必要があります。政党にまとまることが難しければ、事前に政策協議を行って、統一候補を擁立する努力が必要です。投票先として意中の候補者がいないときには、最悪な候補者を当選させない投票先を選ぶという選択がありえます。

求心力と遠心力の併存効果

多数制と比例制の選挙を並行して実施することで、各政党は二つの選挙制度に同時に対応しなければならないため、並立制では、純粋な多数制や比例制とは異なる現象が起きます。小選挙区での選挙協力の必要が分かっていながら、同時に行われる比例選挙では、それぞれの政党が違いを強調して個性化しなければ、支持を集めることができません。小選挙区比例代表並立制は、異質なものを組み合わせることで小党に分裂した野党には遠心力が働き、不利な選挙制度といえます。大政党には求心力が働き、有利な結果を得ることができます。

二〇一七年の衆議院選挙では、自民党は小選挙区で四八・二％の得票率で、七五・四％にあたる二一八議席、比例区で三三％の得票率で、六六議席を獲得しました。自民党の全有権者に占める絶対得票率は小選挙区で二五％、比例区で一七％にすぎないにもかかわらず、全四六五議席の六割を獲得したことになります。ちなみに、小選挙区での死票は二六六一万票、投票数の四八・〇％にのぼりました(二〇一七年一〇月二四日、朝日新聞電子版)。

このように、小選挙区比例代表並立制は、内閣を創出する衆議院の議員選挙を政党本位とし、有権者が選挙を通して政権・政策・首相を選択することがまずありきで、多様な世論を国会に反映させることよりも、民意を集約してエネルギーを効率よく議会制民主主義のメカニズムに伝えることに重点が置かれた選挙制度です。その効果は、あまりに「劇的」でした。制度導入から二五年、野党の勢力が、国会で極端に小さくなってしまいました。現行の制度は、その意思の伝わり方が、多数派が拡張され、少数派については縮小される仕組みになっています。いわば外付けの選挙制度によって、憲法本体の議会制民主主義のメカニズムのアクセルが強まり、ブレーキに伝わるエネルギーが弱められるという改造がなされています。

2. 参議院議員の選挙制度

小選挙区と大選挙区の混合

憲法制定直後の参議院選挙法によれば参議院議員の定数は二五〇人で、そのうち一五〇人が地方選出議員、一〇〇人が全国選出議員と定められていました。参議院議員は憲法上三年ごとの半数改選であるため、通常選挙においては、都道府県別の地方選挙区では全七五人を一人区から四人区で選挙する小選挙区と大選挙区の混合型で、全国区は一つの選挙区で五〇人を選出する極限の大選挙区制でした。一九八二年の公選法改正により全国区は廃止され、これに代わって日本憲政史上初めて拘束名簿式比例代表制(ドント方式)が導入されました。

二〇二〇年一月現在、議員定数二四八人、比例代表選出議員一〇〇人、選挙区選出議員一四八人となっています。比例代表制の方式は、二〇〇〇年の改正後、全国一単位とする非拘束名簿式に変更されています。有権者は、候補者個人名か当該候補者所属の政党名のいずれかに投票することができます。候補者個人の票は、当該所属政党への投票と同一視されます。これを各名簿の得票数として、ドント方式により獲得議席数が決まります。各名簿における当選者は、名簿掲載候補者の獲得票数の多い順に決定されます。拘束式から非拘束式への変更の際には、選挙民の意向が反映される仕組みとして、説明されていました。

特定枠

この仕組みは、二〇一八年に新設された「特定枠」で変更されました。政党その他の政治団体は、参議院名簿の届出をする場合に、「候補者とする者のうちの一部の者について、優先的に当選人となるべき候補者として、その氏名及びそれらの者の間における当選人となるべき順位をその他の候補者とする者の氏名と区分して」名簿に記載することができます。これを「特定枠」といいます。

参議院名簿に特定枠候補者が記載されている場合、特定枠に記載されている候補者を上位とし(名簿記載の順位のとおりに当選人とする)、その他の名簿登載者についてその得票数の最も多い者から順次定めます。特定枠は、過去に取りやめた拘束名簿方式を一部復活させるものです。特定枠がx人である場合、特定枠以外の者のうち最高得票者の当選順位は、「第x+一位」となります。有権者の支持を集めて大量に得票した候補者が特定枠の候補者の後回しにされ、場合によっては議席が得られないことも生じます。

この制度は、鳥取県と島根県、高知県と徳島県が、合区されてそれぞれ二県で一選挙区になったため、県選出議員を選挙できないことに地方組織が不満をもった自民党の事情から設けられました。県選出議員をもたない地方組織の候補者を特定枠候補者にするという趣旨です。そもそもなぜ合区されたかというと、人口減少によって県単位では憲法の要請する投票価値の平等をみたすことができなくなったからです。ほとんどの野党は特定枠を正当なものと認めず、二〇一九年の参議院議員選挙では利用しませんでした。他方、新しい政党であるれいわ新選組が特定枠を利用して、重度障がい者の議員と難病患者の議員を参議院に送り込んだことは、意表をつきました。その代償として、全候補者中最多得票をした候補者が三番手になったことで、当該候補者は当選できませんでした。

選挙区選挙は、三年ごとに半数改選なので、合区の選挙区を含め、定員一〜五人を選出することになっています。参議院選挙は、選挙区選挙に中選挙区と小選挙区(一人改選区)が混在(かたや少数代表、かたや多数代表)、比例代表選挙では非拘束式と拘束式が併存し、何を代表したいのかがますます混沌としています。参議院の性格は一層曖昧(あいまい)になっています。

3.「民意の適確な反映」と女性議員率

女性議員率の低迷

日本の女性が参政権(選挙権・被選挙権)を獲得したのは、一九四五年一二月のことです。それまで女性不在の政治が続いていたのです。女性が初めて選挙権を行使したのは翌年四月の衆議院議員選挙でした。女性の候補者率は二・九%でしたが、定数一〇以下の選挙区では二名連記、定数一一以上の選挙区では三名連記という制限連記制で選挙が実施されたことから、当選した女性議員率は八・四%に達しました。

その後、中選挙区制に変わり、小選挙区比例代表並立制に変更されても、女性の立候補者・当選者の数は低迷しました。女性議員率の最高値を更新するのは、半世紀以上を経た二〇〇五年九月の郵政選挙を待たなければなりませんでした。直近の二〇一七年の衆議院議員選挙を経た女性議員率は、一〇・一％（四七人）です。IPU（列国議会同盟）の二〇二〇年一月の調査では、下院もしくは一院制議会の女性議員比率の世界平均は二四・九％で、日本は一九三カ国中一六五位です。参議院の女性議員率は同じく二〇一九年現在で二二・九％（五六人）ですが、地方議員の女性議員率は、国会議員より低調です。世界経済フォーラムは毎年、政治・経済・健康・教育分野総合のジェンダーギャップ指数（男女平等ランキング）を発表していますが、二〇二〇年版によりますと、日本は世界一五三カ国中一二一位でした。この低ランクは、政治分野（議会や閣僚など意思決定機関への参画、過去五〇年間の国家元首の在任年数における男女差）のランクの低さが足を引っ張っています。政治分野のランクは、一〇〇点満点中四・九点で、世界一四四位、ワースト10入りをしました。

日本を含め、各国に共通していることは、男性が女性に先行して参政権を獲得し、男性主流で政治の世界が形成されてきたことです。その間、男性中心に政治を考えるというルールが出来上がりました。女性が途中で参入しても、このルールに従った振る舞いを強要されたことから、女性本来のあり方が通用せず、女性に参政権が認められた後も、長らく女性は政治的少数者にとどまり続けました。多くの国々で女性議員を増やすためにクオータ制(割当制)をはじめとする技法を選挙制度に導入しましたが、日本では女性議員を増やすための措置をとってきませんでした。こうして、日本の女性議員率の世界順位は相対的に低下していきました。国連の女性差別撤廃委員会は、日本に対して「選出及び任命される地位への女性の十分かつ対等な参画を加速させるため、法定のクオータ制などの暫定的特別措置を取り入れること」を繰り返し求めてきましたが、なかなか対応できずにいました。

なぜ女性議員が必要なのか

なぜ女性議員の存在が議会に必要なのか。その理由を示すのが、二つの国際文書です。一つは、一九九五年、第四回世界女性会議「行動綱領」のパラグラフ一八二で、「政治に携わり、また、政府及び立法機関の意思決定の地位にある女性は、政治的な優先事項を定義し直し、女性のジェンダーに固有の問題、価値観及び経験を反映し、かつそれに対処する新しい項目を政治的課題にし、並びに主流の政治問題に関して新たな視点を提供することに寄与」(総理府仮訳)するからです。男性中心の政治では、男性の関心が政治争点化しやすく、女性の関心事はその陰に隠れてしまいかねません。女性議員の存在はそのような問題を政治争点化し、より広い視野で政治課題を追求できるようにします。また女性にとって、同じ経験をしている女性議員のほうが、よりよく自分たちの意見を反映できると想定されます。とりわけ、差別され従属的地位に置かれたジェンダー固有の問題は、それを理解する共感力が必要です。もちろん女性であれば誰でもこの共感力をもつわけではありませんが、日本でも、女性議員が超党派で結束し、配偶者からの暴力の防止及び被害者の保護等に関する法律を成立させ(二〇〇一年)、その後の法改正にも尽力したことが知られています。

いま一つは、IPUの一九九七年「民主主義に関する普遍的宣言」です。「民主主義の確立のためには、男女がその違いから生まれる互いの長所をいかし、平等に、かつ補い合いながら機能する、社会の営みにおける男女の真のパートナーシップが前提となる」(内閣府男女共同参画局仮訳)からです。有権者との対話・交流から議員が政治課題を導き、その解決策を探るのであれば、有権者の意向や感情を受け止める議員団の感受性の感度が、「国政遂行のための民意の適確な反映」を決することになります。そうであれば、男女双方の視点があるほうが、感度は良くなるはずです。

大学の授業で「女性議員を増やす」というテーマで話をすると、「制度を変更してまでやる必要はない」という意見が出てきます。巷(ちまた)に席巻(せっけん)しているいかにも「日本的な」言説です。

「女性議員が増えないのは自然の姿である」とか、「現状を変革するには、それを変えようとする「努力」が必要だ」と言うのは、意思によって現状を変革しようという意欲をそぐ「呪い」の言葉」です。呪いが教室を支配しようとしたとき、一年生の女子学生が、「努力、努力と言うけれど、そもそも女性が努力しなければならない現状が差別状態です。努力に差があってはならない。同じような機会が与えられるべきです。将来的に差別がなくなればよいという話ではなくて、なるべく早く解消すべきで、政治家である男性が是正に乗り出すべきだと思います」と切り返して、呪いを解いてくれました。差別の壁を乗り越えることが自己責任(「努力が足りない！」)だとする風潮への、強烈なカウンターパンチでした。

推進法の制定

市民団体の長い時間をかけたロビー活動を経て、二〇一八年五月、推進法が、超党派の議員立法として、衆参両院全会一致で可決成立しました。推進法の目的は、「政治分野における男女共同参画を効果的かつ積極的に推進し、もって男女が共同して参画する民主政治の発展に寄与すること」です。本法律は「男女」を主体とし、「女性を優遇する」ものではありません。

この目的を達成するための基本原則は、①「衆議院、参議院及び地方議会の議員の選挙において、男女の候補者の数ができる限り均等となることを目指して行われること」、②「男女がその個性と能力を十分に発揮できること」、③「家庭生活との円滑かつ継続的な両立が可能となること」です。

推進法を実施する主体として、国および地方公共団体と並んで、「政党その他の政治団体」が名指しされていることが注目されます。もっとも、推進法によれば、「国及び地方公共団体は、前条(＝二条)に定める政治分野における男女共同参画の推進についての基本原則(中略)にのっとり、政党その他の政治団体の政治活動の自由及び選挙の公正を確保しつつ、政治分野における男女共同参画の推進に関して必要な施策を策定し、及びこれを実施するよう努めるものとする」(三条)にとどまっています。

「理念」法、されど理念「法」

推進法が政党の努力義務を定めるにすぎないから、実効性は期待できないという意見があります。とはいえ、全会一致で成立したのですから、「候補者男女均等」は与野党横断的に「大義」を獲得したといえます。これからは「候補者男女均等」がデフォルトです。党内世論の一致がないことを理由にこれを見送ることは、公党としての約束違反です。

むろん推進法の成立は、ゴールではありません。この法律を用いて「男女が共同して参画する民主政治の発展」を促さなければなりません。ドイツでは、ある政党が自主的に女性のためのクオータ制を導入したことで、有権者の獲得をめぐる政党間の競争が生じ、結果として他の政党も性別クオータ制を導入し、女性議員率上昇の現象がみられました。これに倣えば、女性候補者率について、政党間の競り上げを引き起こすことが重要となります。候補者擁立に余裕のある野党が、推進法の成功のカギを握ることになるでしょう。

女性議員候補者の発掘については、女性が負っている家庭責任、選挙資金、票ハラスメント(投票をちらつかせて有権者が候補者に対してセクハラ行為に及ぶこと)のリスクなどが、女性に立候補をためらわせているという分析があります。そうであれば、そういった参入障壁を取り除く環境整備が重要な課題です。加えて、新人や新興勢力にとっての障壁でもある供託金制度(候補者が公職選挙に出馬する際に、所定の金額を供託所に寄託する制度)も見直す必要があります。

政党にこうした努力を促すために、政党が努力をしているかどうかをモニタリングする必要があります。この意味で、報道機関や市民の監視は欠かせません。

4. 多数決が多数意見を尊重する?

マニフェストと公約

九〇年代の政治改革は、政党本位の選挙にすることを目指していました。政権を出力する役目を果たす衆議院で政党が多数派を占めるためには、政党は、首相候補を押し立てて、ほとんどすべての小選挙区で候補者を擁立する力量を備えていなければなりません。小選挙区制を中心に据えると、衆議院選挙の構図は「二者択一」の色彩を強め、「二大」政党が政権を争うようになり、政権交代が展望できると期待されました。

小選挙区のもとで選挙による明確な政権選択が可能になるためには、①政権の「枠組み」、②「首相の選択」、③「政策の選択」が三位一体になって、選挙時に有権者に明確に示されなければなりません。このうち条件③は、イギリスに倣った「マニフェスト」型の「公約」として理解され、「マニフェスト」という言葉が独り歩きしました。

マニフェストは、政党が政権獲得後、「どのような政策を」「どのような財源で」「いつまでに実行するのか」を政策実施の行程表とともに、選挙の際に有権者に示すものです。有権者の信任を得たマニフェストは政権の推進力となるとともに、政権にタガをはめ、後から評価や検証がしやすいことから、政策決定・遂行の監視に役立ち、有権者は、マニフェストの進捗状況を次の投票先の判断材料とすることができます。イギリスの野党がマニフェストを作成できるのは、「女王陛下のシャドー・キャビネット」として、政策立案に必要な資料や情報を手に入れることができるからです。日本の場合この前提を欠いているので、イギリス型のマニフェストの作成は、初めから困難であることが予想されました。二〇〇九年、確かな情報に基づかない「マニフェスト選挙」で政権に就いた民主党は、野党時代の情報不足の中で作成したマニフェストであるにもかかわらず、マニフェスト原理主義の自縄自縛に陥り、内部崩壊しました。

最近では「マニフェスト」という言葉は影を潜め、従来の「選挙公約」として、選挙時に有権者に示されています。有権者がしっかり「公約」を覚えていて、次の選挙で、前立法期の実績を評価して投票先を決めることができればよいのですが、仕事と日常生活で忙殺されている有権者には、無理な注文です。

表３　レフェレンダムと政党の〈政策パッケージ〉

	A	B	C	A・B・Cをパッケージ化した甲党への支持
Xさん	○	×	×	政策Aを評価して甲党に投票
Yさん	×	○	×	政策Bを評価して甲党に投票
Zさん	×	×	○	政策Cを評価して甲党に投票
レフェレンダム	否決	否決	否決	

（筆者作成）

レフェレンダムと政党の〈政策パッケージ〉

政党の公約は、複数の政策から構成されています。理念上、体系だって政権がどのようなかじ取りを目指しているか分かるものになっているはずです。ここではそういう前提にとりあえず立ってみましょう。

政策A、B、CについてのXさん、Yさん、Zさんの評価は、表３のようになるとします。○が支持、×が不支持です。個別にA、B、Cの政策の賛否を問うレフェレンダム（国民投票）を実施すると、どの政策はいずれも一対二で否決されます。甲党の公約がA・B・Cである場合、パッケージ化することで、甲党が票を集めることができ、ばらばらでは否決されるA・B・Cが、甲党の公約として是認されたとみなされることになります（長谷部恭男『憲法とは何か』岩波新書、二〇〇六年参照）。

一番人気のない政党が一位？

有権者が一五人いるところで、甲党・乙党・丙党が候補者を擁立したとします(表4)。相対的多数で選出するのであれば、甲党の候補者が選ばれることになります。しかし、九人が甲党を三位に位置づけており、「不人気」を問う場合は、甲党は最も不人気ということになります。過半数をもって当選することにしますと、甲＞乙＞丙の順番でも、甲は六票で過半数の八に達しません。そこで一位票の最も少なかった丙党を除き、丙党を一位にした票の二位の票を救い出します。それを乙党に加えます。具体的には、乙党一位の五票に乙党を二位にしている丙党支持者の四票を加えます。そうすると乙党は九票となり、過半数を超えます。これで、乙党の候補者が当選となります。この類の複雑な選挙がオーストラリアで実際に行われているようです(前掲・山本健人「オーストラリア」)。意中の候補が当選しなくても、「その次(または次の次)の候補」が当選する可能性があり、せっかくの投票がむだになる「死票」を減らす仕組みといえます。

表4　一番人気のない政党が1位になるケース

	6人	5人	4人
甲　党	1位	3位	3位
乙　党	2位	1位	2位
丙　党	3位	2位	1位

(筆者作成)

このように、選挙制度が必ずしも多数の意思を表明するものではないことから、選挙から生まれた多数派が安易に「民意」を援用することには、警戒が必要です。また政党を選ぶことは、必ずしも政策の選択を意味するわけではありません。選挙ですべてが決まるわけではないのです(坂井豊貴『多数決を疑う——社会的選択理論とは何か』参照)。さらに、政党が政権公約を掲げて選挙戦を戦い、議会でも党議拘束をかけて熟議を妨げているという認識から、熟議を促すために抽選制市民院の構想を掲げる提案もあります(岡﨑晴輝「選挙制と抽選制」『憲法研究』五号、二〇一九年)。いずれにせよ、選挙公約に掲げられた政策は、議会審議のアジェンダ(議論すべき課題)であって、国民多数の支持を得たという「お墨付き」を与えられたわけではありません。正式な議会審議を経なければ、それは正式な決定とはなりえません。

現行の外付けの選挙制度は多数派を増幅し、少数派を縮減してブレーキの性能を弱める働きをすることが確認されました。選挙制度による伝達の歪みは、そもそもの動力注入が半分だけであることにも表れています。動力注入での偏り、動力変換装置による偏りという二重の偏りで、今日の日本では、全人口の四分の一の支持で「みんなで決める政治」が動いています。

日本の選挙制度は、個人が投票するレベルにおいて、手厚く保護されています。このことは、何度も強調されなければなりません。多数制を基調とする選挙制度は、相対的多数を取った方が総取りする仕組みです。この仕組みの意味を知れば、より多くの票を集めることで、政治のかじ取りができることが分かるはずです。

こう言うと若い人は、自分たちは相対的に人数が少ないから、シルバー民主主義に負けるという答えが返ってきます。しかし、シルバーの多数派にあたる六割が若者の意見と異なっていたとしても、残りの四割を味方につけることもできるかもしれません。議会制「民主主義」である以上、多数派が権力を恢復する潜在的力をもっていることは確かなことなのです。

第Ⅲ部

議会制民主主義における
アクター間の相互作用

民主制と対立的にとらえられていた議会制が、長い時間をかけて、民主主義の理念を摂取して、議会制民主主義に到達しました。これは、制度設計で出来上がったものではなく、徐々に形成されたものです。問題があれば自己変革することで、議会制民主主義は体制を維持してきました。自己変革を促すのは、言うまでもなく、議会制民主主義で想定されているアクター（有権者、議員（国会）、内閣（政府））です。

第3章で、日本の議会制民主主義は「ギフト」のようなもので、恩賜的議会制民主主義だと言いました。日本国憲法は、一人ひとりの存在と生き方を尊重するにふさわしい統治形態を議会制民主主義と定めました。議会制民主主義のメカニズムが機能して「みんなで決める政治」を実現するには、言論の自由と公開制という裏付けが必要です。

憲法は、表現の自由を保障し、国会の審議の公開制を定めています。そのことと、議会制民主主義を作動させるアクターである、有権者、議員（国会）、内閣（政府）がこうした自由や制度をお互いに尊重して、互いの関係をルール化できているのかは、別の話です。たとえて言うと、自動車の運転の仕方がまずかったり、運転する際に決められたルールに従わなかったりすると、自動車は性能を活かして、安全に走ることはできません。日本の最近の出来事を参考にしながら、この問題を考えてみましょう。

第6章　有権者はどのように議員を選ぶのか

1．有権者の政治的リテラシー

一八歳は戸惑っている

選挙権年齢の一八歳への引き下げは、若者の政治意識への関心を高め、二〇一五年当時、各種メディアが、若者を対象にした街頭インタビューやアンケート結果を紹介していました。「テキトーに投票してしまいそう」、「よく分かりもしないで投票していいんだろうか」という高校生の回答から得た印象は、「戸惑い」でした。「選挙権年齢が一八歳に引き下げられたことをどう思うか」といきなり尋ねられ、「選挙権をもつということはどういうことなのか」、「投票するには何を基準にしたらよいのか」と考えを巡らせたうえで、まじめに「戸惑っていた」ように思います。

もっとも、一八歳は選挙権を手にして戸惑うが、二〇歳だったら戸惑うことなく選挙権を行使できる、ということでもないように思います。アメリカの有権者について、「有権者は、自分の好きなだけ無知にも利己的にもなることができる。しかもそうした有権者が投票用紙記入所に入ったところで誰も非難しない」という話があります。大人だって、テキトーに投票していたりするのです。

そのうえで「戸惑い」の理由を探れば、政治について学校で教えてもらっていないことにつきます。二〇一六年の前期に、新しく一八歳選挙権の当事者となった新一年生を対象に、選挙をテーマにした基礎ゼミナールを担当したことがありました。その時に彼らから聞いた意見の代表的なものは、「学校で教えてくれたことは選挙の技術的なことで、投票先を判断するために必要な本質的なことを考える機会がなかった」、「高校時代までは、「政治」の話を友人の間ですることにためらいがあった。「変な奴」と思われるような気がしていた」というものでした。それがゼミで自由に議論を重ねることで、「初めて「政治」のことで討論したが、面白いと感じた」、「一八歳なりの経験があって、それなりの考えをもっていることを知ることができた。捨てたものではないと思った」という感想を寄せてくれるまでになりました。環境が整えば、一八歳は自由に意見を交わし、自信に満ちて自分の意見を主張し始めます。そうした変化を間近で見ることができたのは、誠に幸せな経験でした。このことは、主権者教育、仲間と政治について対話する必要を教えてくれています。

主権者教育・政治教育の必要性

選挙権年齢を一八歳に引き下げる議員提出法案の提出者を代表して船田元(ふなだはじめ)議員は、若年層の投票率向上のために、「高校、できれば小中学校を含めて」主権者教育をしっかりやる、そのために「学習指導要領できちんとこれを書き加え」「充実をする」ことは当然として、「実際に即して模擬投票を行う」ような、「実践的な主権者教育をもっともっと学校教育の中でやってほしい」と、文科省や総務省に対応を求めました(第一八九回国会 衆議院 政治倫理の確立及び公職選挙法改正に関する特別委員会議録第三号、二〇一五年五月二八日)。

この発言は、それまでの学校教育で主権者教育・政治教育がなされてこなかったことに由来しています。一九六〇年代末の大学紛争への対応のあおりで、文部省(当時)は、一九六九年一〇月三一日、通達(「高等学校における政治的教養と政治的活動について」)を発出しました。この通達は、高等学校で「政治的教養の教育」を行う場合に、「生徒が、一般に成人とは異なつて、選挙権などの参政権を制限されており、また、将来、国家・社会の有為な形成者になるための教育を受けつつある立場にあることを前提として行なうこと」を求め、教員は、「教師の個人的な主義主張を避けて公正な態度で指導」し、「教師としては中立かつ公正な立場」に留意しなければならないとしました。この通達以降、多くの学校では、高校生の政治的関心に応えようとする仕組みを抑制し、授業やホームルームで、現実の政治的問題を取り上げることに消極的になる傾向が現れたといいます(全国民主主義教育研究会編『一八歳からの選挙 Q&A』)。

高校生の政治活動

さらに、一九六九年の通達は、学校の内外において高校生が政治活動を行うことを禁止しました。「国家・社会としては未成年者が政治的活動を行なうことを期待していないし、むしろ行なわないよう要請しているともいえる」、「生徒が特定の政治的影響を受けることのないよう保護する必要がある」、生徒の政治活動は「政治的教養の教育の目的の実現を阻害するおそれ」があり、「他の生徒に好ましくない影響を与える」「生徒の心身の安全に危険がある」などが、その理由でした。生徒会がフランスの核実験(一九九五年)に反対する署名活動を行おうとしたところ、学校は「教育の場で高校生が政治的に行動するのは問題である」として、それを中止させたということです(前掲『一八歳からの選挙 Q&A』)。

今や選挙権を獲得したのですから、一八歳以上の高校生は、政治活動の自由はもとより、選挙運動の自由も保障されます。法案提出者の一人であった北側一雄議員は、法案説明に際し、選挙運動、政治活動は基本的に自由であるという原則に立ち返った上で、教育の現場としての学校には一定の秩序、一定の規制があると思うので、学校ごとの自主規制や各教育委員会で一種のガイドラインのようなものを検討してほしいと述べて、上記の一九六九年の文部省の通達を見直す必要に言及しました(前掲・特別委員会議録)。

学校現場での政治教育の抑制・萎縮

船田議員らが想定していた「模擬選挙」とは、実際の国政選挙を題材に、生徒に選挙公報や新聞記事などをもとに考えさせ、ディスカッションを行わせ、投票先を決めさせるというものです。実際の選挙を題材にしているので、特定政党のみを取り上げて「特定のイデオロギー」を教えることはありえず、中立・公正だといえます。この取り組みは、一八歳選挙権の制度化以前から市民団体によって実施されました。一八歳が初めて国政選挙に臨んだ二〇一六年の選挙に向けて実施された模擬選挙に参加した高校生は、それまでと変わらない一万人超の規模にとどまったそうです。「生の政治」である選挙を取り上げることに、学校現場の管理職が後ろ向きで、この取り組みに参加する高校が増えることがなかったからです(林大介「模擬選挙はどのように取り組まれたか」『Voters』三三号、二〇一六年九月)。

二〇一五年一〇月二九日に発出された「高等学校等における政治的教養の教育と高等学校等の生徒による政治的活動等について」(以下、「新通達」という)は、一九六九年の旧通達を廃止しました。一八歳選挙権の制度化で、政治教育・政治活動にかかわる前提条件が大きく変化したにもかかわらず、新通達は、「適切な選挙運動」は別として、高校生には政治的活動・選挙運動を場合によっては制限または禁止することが必要である、との見解を維持しました。一方、学校における政治的教育と具体的・実践的な指導が緊要(きんよう)となっていることから、政治教育を担当する教員の役割と力量に期待したいところです。しかし、教育基本法が定める、教育の政治的中立性(一四条二項)を理由として、新通達は、教員が行う政治教育の内容・方法に関する指示や規制をより一層具体的かつ詳細に示し、また、政治教育の中で現実の政治的事象を取り扱う際に、教員の個人的な意見・見解が入り込まないよう、「公正かつ中立」の立場で指導することを強調しています。通達に示された文科省の見解が呪縛(じゅばく)となって、学校の教育現場を萎縮させています。その結果が、先にみたような模擬選挙の取り組みに後ろ向きである学校現場です。

憲法の学習

一八歳選挙権の制度化は、憲法改正国民投票権年齢が一八歳以上に定められたことを契機としています。一八歳は、憲法そのものについて判断を迫られることが想定されています。そうだとすれば、主権者教育・政治教育では、憲法が大きな学習のテーマとなるはずです。

このことと関連して、一つの判決を紹介したいと思います。二〇一四年に、句会で秀句に選ばれた「梅雨空に「九条守れ」の女性デモ」という作品を、「世論を二分するようなテーマの俳句」だとして、さいたま市にある公民館が公民館だよりへの掲載を拒否するという事件が起きました。拒否されたことを争った裁判で、第一審の裁判所は、公民館の職員が作品の掲載を拒否したのは、当該職員に教員の経験があり、国旗(日の丸)や国歌(君が代)に関する議論など、教育現場での憲法に関連する意見対立を目の当たりにして、一種の「憲法アレルギー」状態に陥っていたのではないか、という見方を示しました(さいたま地裁二〇一七年一〇月一三日判決)。教員が「憲法アレルギー」状態で、憲法の話題を忌避するような学校現場にあって、まともに憲法の学習ができるのでしょうか。一八歳は、憲法改正国民投票に自信をもって臨むことができるのでしょうか。憲法が何であるかを知らずして、その是非

（改正の必要があるかどうか）を判断することが果たして可能なのでしょうか。憲法改正を急がせる話がありますが、改正対象が何であるのかも分からず、他の人と憲法を話題にするのもはばかられるような状態で、憲法について国民に判断させようというのは、奇妙なことです。学校教育で、十全な政治教育がなされないままで、有権者は、どのようにして政治的リテラシーを身につけるのでしょうか。有権者は、投票先を選定するのに必要な公正かつ適正な情報をどのように入手しているのでしょうか。この点で重要なのが選挙運動とマスメディアによる選挙報道です。

2. 選挙運動

複雑で多様化した社会を対象とした政治情報を的確に把握することは困難で、情報の多くは、マスメディアやインターネットを通じて獲得せざるをえません。他方、国民代表たる政治家は、不断に有権者の意見を聞いて、あるいはその意向に想像をめぐらせて、政治過程に反映していかなければなりません。有権者と国民代表との日常的な相互作用が政治活動です。選挙に際しては、有権者は、候補者の人物、政策、所属政党の政策などを吟味（ぎんみ）し、投票を通じて、主権者としての選択を意思表示することになります。有権者は、国民代表を選出するために必要な情報と資料を十分に提供されなければなりません。そうした情報と資料提供の機会が、選挙運動です。選挙運動とは、「特定の選挙で、特定の候補者を当選させようとして働きかけること」をいいます。

選挙運動においては、候補者が有権者に働きかけるばかりでなく、有権者が候補者に、さらに他の国民に、積極的に働きかけることが重要です。国民それぞれが正しい情報を得るためには、マスメディアやインターネットだけでなく、政治家や他の国民とのフェイスツーフェイスの対話による意見の交換も、多元的な観点から情報を吟味するために必要だからです。

そういうわけで選挙運動は、候補者や選挙運動員だけが行うわけではありません。特定の公務員や公民権停止中の者など一定の者を除きますが、有権者であれば、誰でも選挙運動を行うことができます(逆に、有権者ではない一八歳未満の者は、選挙運動ができません)。表現の自由の一環としての選挙運動は、本来、自由であるべきです。とはいえ、「思想の自由市場」(いろいろな考え方が活発に流通するなかで、競争によって自然と良いものだけが残るという考え方)の仕組みでは、限られた選挙期間内でフェイク・ニュースやデマを放逐することが難しい場合があります。「選挙の公正」を確保するためには、ある程度の規制は必要かもしれません。ところが、現行の公選法は、事前運動の禁止、文書図画の頒布・掲示等の制限、戸別訪問禁止、選挙における報道・評論の規制等を定め、むしろ禁止が原則になっているる「べからず選挙法」ともいわれています。

選挙運動期間がどんどん短くなっている

事前運動の禁止とは、選挙運動を選挙運動期間に限って行うということです。立候補届出前に選挙運動をすることが、事前運動にあたります。このように選挙運動期間を限っているのは、常時選挙運動が行われることによる不正行為の発生を抑え、選挙運動を同時にスタートさせることで各候補者の無用の競争を避け、また、選挙運動費用の増加を抑えるなど、もっともらしい理由があげられています。

とはいえ、立候補届出前であっても、立候補の準備行為、政治活動などは原則として選挙運動ではないので許されています。選挙が近くなると、「国会報告会」とか、「○○幹事長来る!」などと銘打って、現職議員のポスターが、あちこちに貼られているのを見かけます。こうした活動は、「政治活動」あるいは「後援会活動」として認められ、選挙運動とは区別されています。他方、新人の立候補予定者にはこうした活動を行う名目がありません。名前

表5　短くなる選挙運動期間

1951 改正	1952 改正	1956 改正	1958 改正	1961 改正	1969 改正	1983 改正	1992 改正	1994 改正
→	25日	→	20日	→	→	15日	14日	12日
→	→	25日	→	23日	→	18日	17日	→
→	25日	→	→	→	→	20日	17日	→
20日	→	15日	→	→	12日	9日	→	→
→	→	→	→	→	→	15日	14日	→
→	→	15日	→	→	12日	9日	→	→
→	15日	10日	→	→	→	7日	→	→
→	15日	10日	→	→	→	7日	→	→
→	10日	7日	→	→	→	5日	→	→
→	10日	7日	→	→	→	5日	→	→

（衆議院調査局第二特別調査室『選挙制度関係資料集 平成29年版』より）

と顔を浸透させるだけでも、新人候補には高いハードルです。そうであれば、選挙期間はできるだけ長いほうがよいのですが、現実には、選挙運動期間はどんどん短くなっています。

選挙運動期間の変遷を示した表5を見てください。衆議院議員選挙の場合は、一九五〇年公選法制定当初三〇日間でしたが、現在は半分以下の一二日間に短縮されています。町村長、町村議会議員の選挙期間は、わずか五日間で、休日(日曜日)を利用した選挙運動ができません。新人候補者には不利であるばかりではなく、有権者が政策をじっくり理解できないまま、あるいは複数の候補者の政策の比較検討ができないまま、

公選法	1950制定
衆議院議員	30日
参議院議員	30日
都道府県知事	30日
都道府県議会議員	30日
指定都市の長	20日
指定都市の議会議員	20日
一般市の長	20日
一般市の議会議員	20日
町村長	20日
町村議会議員	20日

時間切れで投票日になってしまう状況が生まれています。選挙区が広い場合は、候補者の「リアル」ライブ演説を聞く機会がないまま、投票日を迎えることになる可能性もあります。最近は期日前投票をする人が増えましたから、なおさらそうだといえるでしょう。

戸別訪問の禁止

人が人をその居宅に訪ねるという戸別訪問は、国民の日常生活の一場面であり、対人交際の基本的手段です。選挙運動は、国民が知人、友人、隣人に対し、自分の支持する候補者に投票してくれるよう働きかけることも含んでいます。選挙運動としては自然な姿です。戸別訪問は、有権者にとっても、知人、友人、隣人が戸別訪問してくれることは、それらの人たちと直接に対話できることですから、候補者の政策等をじっくり聞き、疑問を直接ぶつけることができる機会にもなります。欧米諸国では、戸別訪問は最も有力な選挙運動の一つとして盛んに行われ、選挙や政治を国民の身近なものにすることに大きな役割を果たしています。日本においては、一九二五年に普通選挙が成立したと同時に、戸別訪問が禁止されました。それから今日(こんにち)に至るまで、利益誘導等の不正行為の温床になりやすく、選挙の公正を損なうおそれがあるなどを理由に、ずっと禁止されたままです。

言論および文書図画による選挙運動

言論による選挙運動は、お金のかからない選挙運動として、戸別訪問を含め、欧米では選挙運動の主流です。言論による選挙運動は、有権者にとっては候補者の人物や意見を知るのに役立ち、また、候補者や政党にとっても直接有権者に訴えることができるという利点があります。現行制度では、個人演説会、屋外で行う街頭演説会があります。テレビ・ラジオによる政見放送・経歴放送は公費で行われます。ただし、候補者レベルで政見放送ができるのは、都道府県知事選挙や参議院選挙区選挙に限られます。衆議院議員選挙については、政党本位の選挙制度を追求して小選挙区制へ変更したことにより、無所属および政党要件を満たしていない政治団体の小選挙区候補者は、政見放送をすることができません。

アメリカの大統領選挙の際に行われる、候補者同士のテレビ討論のようなものがあると、候補者の政治的力量を比較することができて、有権者にとってよい機会になると思いませんか。候補者の演説を比較することは、私たちには身近なことです。中学校や高校の生徒会役員選挙では、候補者が一堂に会して全校生徒の前で演説をしているのではないでしょうか。これが、立会演説会です。かつては、国会議員の選挙では義務づけられていました。有権者の参加が次第に低調になり、自分の支持する候補者の演説だけを聞いて他の候補者の演説と比較することがなくなってしまい、一九八三年に廃止されました。複数候補が合同演説会を開催し、立会演説会の代わりとすることもできますが、実施例は少なく、市民団体など、第三者が合同演説会を開催することはできません。

選挙運動は、候補者が一方的に政策を主張するだけでなく、有権者との相互コミュニケーションの機会となることが望まれます。握手会に終わらせず、有権者の理解を深めるために、政策への有権者の疑問に候補者がその場で応答することも必要です。そうすることによって、候補者の政治的力量を見極め、投票先の判断材料とすることができるはずです。

文書図画とは、文字や記号、絵、写真などが記載されたすべてをいいます。文書図画による選挙運動は、お金のかかる選挙の原因となりやすいことから、特に詳細な規制があります。規制強化と表裏一体に、選挙公報の発行から、通常葉書、ポスター、ビラ、新聞広告の提供などが、公費でまかなわれています。二〇一三年四月の法改正により、国政選挙、地方選挙においてインターネットを使った選挙運動ができるようになりました。

電子メールを使って選挙運動用の文書図画を頒布できるのは、候補者・政党等に限ります。有権者は候補者・政党等から送られてきた選挙運動用電子メールを転送により頒布することはできません。一八歳未満の者は、選挙運動が認められていませんから、たとえばSNSでの投票の呼びかけの拡散に加わることもできません。

3. マスメディアによる選挙報道

テレビ離れが喧伝(けんでん)されていますが、テレビのニュースや報道番組は、選挙に際して大きな影響力を保持しています。新たに選挙権を獲得した若者に対する、二〇一六年の参議院選挙後に実施された総務省の調査によれば、選挙に際して参考にしたさまざまな媒体のうち、「テレビのニュースや報道番組」が唯一半数超えで五〇・二%でした。次いで、政党や候補者のポスター：三六・六%、インターネットのニュースサイト：二八・九%、街頭演説：二三・八%の順でした(総務省報告書「一八歳選挙権に関する意識調査」二〇一六年一二月)。

放送倫理検証委員会の決定

この選挙については、「全体の放送量が前回の参議院選に比べて二割とも三割ともいわれるほど減少した」、「有権者は何を選択することになるのか、争点を明確にして、その判断に必要な情報を十分に伝えたのか疑問だ」という指摘がありました。こうした批評を受けてBPO(放送倫理・番組向上機構)の放送倫理検証委員会は、二〇一七年二月、委員会決定第二五号「二〇一六年の選挙をめぐるテレビ放送についての意見」を公表しました。

同決定によれば、公選法上、放送局は「選挙運動」をしてはならないが、虚偽の事実を放送する、事実を歪めるなど表現の自由を濫用し、しかも、その結果、選挙の公正を害することにならない限り、選挙に関する報道と評論を自由にできます。そのような自由が保障されている以上、放送の結果、ある候補者や政党にとって有利または不利な影響が生じたとしても、それ自体当然で、政治的公平を害することにはなりません。また、候補者が出演する番組でも、候補者に自分に投票するように呼びかける演説をさせて司会者もこれを制止しないというような番組でない限り、「選挙運動」放送にはあたりません。選挙に関する報道と評論の自由の範囲内です。もし選挙に関する報道と評論に「量的公平性(形式的公平性)」が求められることになると、放送局に編集する自由はなくなってしまいます。よって求められる「公平性」は、「質的公平性(実質的公平性)」となります。政策の内容、問題点、候補者の資質への疑問など有権者の選択に必要な情報を伝えるために、どの政党に対してであれ、どの候補者についてであれ、取材で知り得た事実を偏りなく報道し、明確な論拠に基づく評論をするという姿勢こそが求められます。国民の判断材料となる重要な事実を知りながら、ある候補者や政党に関しては不利になりそうな事実を報道しない、あるいは政策上の問題点に触れない、逆にある候補者や政党に関してのみ過剰に伝えるなどという姿勢は、公平であるとは言い難いものです。これが「質的公平性(実質的公平性)」の意味であり、放送の結果、政党や候補者の印象が同程度になるとか、番組中での質問がどの政党や候補者に対しても同じであるというようなことは求められていないのです。

放送倫理検証委員会は、二〇一六年の選挙放送に放送倫理違反があったとは言えないとしつつも、次のように選挙放送の使命を指摘しました。長くなりますが、大事なことを指摘しているので、引用します。

(略)放送局は、正確な情報を歪めることなく編集して放送し、またこれらの事実を踏まえた評論も、視聴者・有権者の政治選択にとって重要と考えられる点を漏らすことなく取り上げ、有権者に多様な立場からの多様な見方を提示するものとなるように心がける必要がある。政党や立候補者の主張にその基礎となる事実についての誤りが無いかどうかをチェックすることは、マスメディアの基本的な任務である。また、政党・政治団体や立候補者の政策については、選挙期間中であっても、その問題点を的確に指摘し国民に提示することが求められる。さらに、経済・福祉・教育などの内政政策、外交政策、憲法改正に対する方針など選挙が実施される背景にある重要な争点について、本来有権者が判断すべき争点がどこにあるのかを明確にし、候補者や政党にとって不都合な争点が意図的にあいまいにされないよう目を光らせることも重要である。これらはいずれも、選挙を通じて国民の意思を表明するという民主主義の過程を活かすために、放送現場のジャーナリストに求められる職責であり使命である。

（放送倫理検証委員会決定 第二五号『二〇一六年の選挙をめぐるテレビ放送についての意見』二〇一七年二月七日）

このジャーナリストの職責と使命は、次の選挙に活かされたのでしょうか。

◆二〇一九年の参議院選挙における選挙報道モニター報告書

二〇一九年九月二〇日付けの放送を語る会によるモニター報告「二〇一九年参院選・テレビはどう伝えたか～後退する選挙報道～」は、放送時間の量的減少と争点報道の後退を特徴としてあげました。個人的には、まるで参議院議員選挙の選挙運動期間中ではないかのような報道ぶりという印象がありましたから、このモニター報告を読んでも、さほど驚きはありませんでした。同報告が紹介している二〇一九年七月一九日の朝日新聞の記事によれば、二〇一六年の参議院議員選挙期間に比べ、「「ニュース・報道番組」では放送全体で三割減、民放だけだと四割減っている」とのことでした。

それ以上に深刻と思われたのは、「今回の選挙ほど争点がはっきりしていた選挙は珍しかった」にもかかわらず、「報道各社は争点報道を避けたのではないか、と疑いたくなる」ほど、「総体的に見てその少なさは異常ともいえる」と総括された点です。三年前の選挙で、放送倫理検証委員会から警告が発せられたのですが、選挙報道に期待された役目が果たされていないことが明らかになったのです。選挙報道にとって最も重要なことは、「争点」を明らかにし、その争点に対する各党の考え方や、各社独自に取材した問題点などを、一つの番組にまとめて有権者に提示することです。それによって有権者は各党の主張を比較し、争点の意味するところを知って投票先を選択することができます。こうした役割を担って国民の「知る権利」に奉仕することから、報道機関には特権的な報道の自由が認められています。

この職責・使命にメディア自身が後ろ向きになっている姿が、二〇一九年の参議院選挙をめぐる選挙報道で、浮き彫りになりました。報告書は、「政権交代が起きる要素もない。取り上げたくなる個性の強い候補者や選挙区もない」、視聴率の「数字がとれないのに、気ばかり使って、手間とリスクを背負い込む放送にメリットはない」という放送関係者の発言を伝えていました。また、モニターの参加者からは、「政府与党がメディアに要求した「公平公正」が足かせとなって、メディアが萎縮し、どこからも文句の出ないよう争点を曖昧にし、時間も短くしてしまったのではないか」との声がありました。

これには反論が可能です。まず、「公平公正」については、先に引用した放送倫理検証委員会の意見書が、選挙報道は、むしろ争点報道が「公平公正」なのだと指摘していた点が重要です。視聴率については、モニター報告が、争点報道に踏み込んだ朝のワイドショー番組がかなりの視聴率を取ったと伝えています。ここにこそ有権者のニーズがあったといえます。そして、「取り上げたくなる個性の強い候補者」という点については、投開票後、「旋風」と呼ばれた新興勢力があったことを各メディアが紹介し始めたことがあります。政治学者の中島岳志さんは、「政治に対して最も影響力があるテレビというメディアは、『公正性』を装いながら、実は既成の勢力に味方し、真に新しい勢力の参入を阻んでいる」という、ある映画監督の言葉を紹介しています(二〇一九年七月三一日、東京新聞電子版)。

インターネットやSNSの発達で、若者の既存メディア離れが語られています。情報源をインターネットに頼ると、インターネット上のデータによってユーザーの趣味嗜好を予測し、個々人が自分のニーズに合った情報だけを入手するフィルターバブル現象により、自分と異なる考え方にふれる機会が大幅に減り、自分の考えが知らぬ間に極端化するリスクが増します。これにより、社会の分断化が加速するおそれがあります(トランプ時代のアメリカがそうだといわれています)。また、世論調査で、政治にかかわるさまざまな問題に「わからない」と答える割合が若者層により多く見られる傾向があるのは、政治ニュースが若者層のインターネットの画面上で得る情報から排除されていることにも要因があると考えられます。テレビや新聞などの既存のメディアは、個人をターゲットにするものではないため、そこでは偶然に自分とは異なる考え方に出会うことがあります。逆説的なようですが、既存メディアによる情報の提供は、一層、重い職責と使命を負っているように思います。

第7章　国会と内閣をめぐるルール

第3章でふれましたが、国会は、憲法上、①国民代表機能、②立法機能、③内閣創出機能、④政府・行政監視(統制)機能を有しています。選挙結果(=選挙時の多数決の効果)が、議院内閣制の仕組みによって③の機能に及ぶのは当然です。しかし、憲法によって創設された内閣は、国会に責任を負う少人数の組織であるにすぎません。ここから、内閣が、国会の意思を考慮しつつ政治におけるリーダーシップをとる権限をもつといえても、国民に対して独自の判断で行為する正統性まで有するとはいえません。国民との関係では、内閣は直接には法律の適用を通じてしか行為することはできないからです。これが、近代国家の原則である「法治主義」、「法律による行政」の核心です。

時に、選挙時の「民意」を絶対視して、国会の②立法機能、④政府・行政監視機能を軽視する選挙原理主義的な議論を耳にします。①国民代表機能からすれば、国会内の野党の存在は、選挙時の少数派を代表しています。②、④の機能の形骸化は、①の機能を担う野党の存在を軽んずるのみならず、国会の存在そのものを無視するものです。③内閣創出機能によって、②と④の機能の実質が決まると言っているに等しいからです。そうであれば、③の機能が果たされた段階で、国会を開催する意味がなくなります。それは、国会を国政の中心に据えた憲法を否定することです。議会制民主主義の仕組みを憲法に外付けされた選挙制度で改造して、議会制民主主義ではないものにしてしまうことです。法治主義が破壊されれば、もはや、近代国家の体すらなさないことになります。

本章では、②・④の機能の観点から、内閣創出後の国会と内閣の関係を考えてみましょう。

1．国会の審議

国会審議は、法案・予算、条約などの「議案審議」と「国政調査」の二つからなり、通常、常任委員会を中心にすすめられます。委員会とは、対象分野ごとに組織された議院内部の合議体で、議員から選ばれた委員で構成されています。議案の提出(発議)→委員会付託→委員会審査(議案の趣旨説明→質疑→討論→表決)→本会議審査(委員長報告→討論→表決)というプロセスを経て議院の意思が形成されます。原則として、両議院の議決が一致したときに国会の議決が成立します。議案の代表的なものが、法案です。

「出来レース」の法案審議

「国会審議が形骸化（けいがいか）している」という評価があります。これは、一つに国会の法案審議が「出来レース」であることに由来しています。国会に法案が提出される回路は、内閣提出（内閣の法案提出権を否定する立場も理論上ありえますが、内閣の構成員が国会議員であることから、議員として提出することも可能です）と議員発議の二通りがあります。立法の主流は、内閣提出法案です。選挙で多数派となった政党の党首が、首相として内閣を率いているのですから、首相は、選挙での公約を実現しなければなりません。内閣が、各省庁の官僚組織のサポートを得て法案を作成し、法案を提出するのは、むしろ責務といえます。

ところが、国会での審議のルールを定める国会法は、「内閣が、各議院の会議又は委員会において議題となった議案を修正し、又は撤回するには、その院の承諾を要する。但し、一の議院で議決した後は、修正し、又は撤回することはできない」（五九条）としています。内閣は、法案提出後は、立法過程をリードできないのです。

このため、自分の提出した法案に大幅な修正が加えられても、内閣は妥協案すら自ら示すことができません。そこで、提出した法案の成立を確実にするために、水面下のルートが築かれました。これが与党による事前審査体制です。あらかじめ議案への与党議員の賛成を取り付けておき、事前審査の結論に従って与党議員に党議拘束をかけ、与党議員の数の力によって議案を可決するという方法です。首相や党執行部に従順な与党議員が増えると、首相は事前審査の過程を思うままに操ることができます。

法案が国会に提出された時点で与党議員には党議拘束がかかっていますから、国会審議中に与党議員から法案の内容について疑義が差しはさまれることもなければ、法案が大幅に修正されることもありません。与党議員が続々と登場して、政府にエールばかり送る発言を繰り返しているなら、むしろ、黙っていてもいいほどです。

「野党は反対ばかり」

他方、多勢(たぜい)に無勢(ぶぜい)で、勝ち目のない野党は同じ批判を繰り返し、法案に反対ばかりで対案を示さないという意見があります。この意見は、野党がなぜ批判しているのか、なぜ反対しているのかを考えさせない思考停止効果を狙っています。

先の第二〇〇回国会(臨時会、二〇一九年一〇月四日〜一二月九日)では、内閣が提出した二〇議案(継続審議のものを含む)のうち、一六法律が成立、二条約が承認、一承認議案が承認という結果でした。この臨時会では、衆参両院で「立憲民主・国民・社保・無所属フォーラム」が統一会派を結成しました。この最大野党会派が反対したのは内閣提出法案一つと二条約の承認で、賛成率は八四%でした。何でも反対しているわけではないのです。二つの法律と承認議案が全会一致で承認されています。

最大野党会派が反対したのは、「公立の義務教育諸学校等の教育職員の給与等に関する特別措置法の一部を改正する法律」です。報道機関はこうした対決法案だけを取り上げる傾向があり、そこに目がいけば、なるほど視聴者が「野党は反対ばかりしている」という印象をもつのも当たり前かもしれません。対案を出しても成立の見込みのないなか、野党が行う法案のダメ出しは、審議を深めるうえで無意味だったのでしょうか。そもそも、野党はどうしてこの法案に反対したのでしょうか。

公立の義務教育諸学校等の教育職員の給与等に関する特別措置法は、公立学校の教員について、時間外勤務手当や休日勤務手当を支給しない代わりに、給料月額の四パーセントに相当する教職調整額を支給することを定めた法律です。もしまともに教員の残業代を払えば年間約九〇〇〇億円の財源が必要と言われているほど、教員は、業務の長時間化など深刻な状態にあります(文科省「学校における働き方改革特別部会(第八回)議事録」二〇一七年一一月二八日)。こうした教員のブラックな働き方を見直し、子どもたちに対して効果的な教育活動を行えるよう、学校における働き方改革を推進させるための総合的な方策の一環として、改正法律案が提出されました。その考え方は、一年単位の変形時間労働制を適用するものです。これは、忙しい時期の定時(正規の勤務時間)をいまの七時間四五分よりも延ばす代わりに、八月に休みのまとめ取りをできるようにするというものです。この仕組みは、一年単位でみると繁忙期と閑散期があることが前提となっています。

教員には長い夏休みがあっていいな、と想像している人もいるかもしれません。現実には、総じて教員は一年中ずっと多忙をきわめており、八月でさえ残業をしていて、そもそも年次有給休暇の取得もままならないようです。「夏休みはふだんできないことをやったり、良い授業をするために勉強する時間で暇ではない」、「授業はなくても各種書類づくり、秋の運動会や遠足の準備といった仕事がある。床のワックスがけ、カーテン洗い、エアコンのフィルター清掃も「予算がなくて教員がやらなきゃいけない」状況にあります。現場の教員からは「子育てできなくなる」、「一年間、同じペースで進みたいのに、途中でダッシュしろと言われるようなもの。疲れてゴールまでたどり着けない」などという声が上がっています(二〇一九年一二月五日、東京新聞電子版)。

野党の反対は、こうした声を反映していました。野党が反対しなければ、公立学校の教員に残業代がないことも、現場の教員の声も、広く知られることはなかったかもしれません。提案された仕組みの前提である繁忙期と閑散期の区別がない現状が明らかになり、この現状を変えなければ、提案された仕組みが正常に機能することは危ぶまれます。

国政調査

議会が国政の中で中心的な役割を果たすためには、国政上のさまざまな事実を十分に知ったうえで、的確な判断を下すことが必要です。こうして、国政についての調査権能は、議院にとって本来的かつ固有のものとされてきました。この権能を国政調査権と呼びます。日本国憲法は、各議院の国政調査権を規定するとともに、「証人の出頭及び証言並びに記録の提出」について議院が強制権をもつ根拠を提供しています(六二条)。これを受けて、国会法(一〇三条以下)、議院における証人の宣誓及び証言等に関する法律などに、詳細な規定が置かれています。調査権は「両議院」に与えられたものですが、議院は、必ずしも「本会議」によってその権能を行使しなければならないわけではありません。国会が委員会中心主義をとっていることから、実際には委員会が国政調査権の行使において中心的な役割を果たしています。

現実の政党政治においては、少数会派が国政調査権の発動を促すことは困難です。多数が賛成しなければ、国政調査権を発動できないからです。一九九七年の国会改革で、衆議院に四〇人以上の議員が予備的調査要請書を議長に提出して着手することが可能な、「予備的調査制度」が設けられました(衆議院規則五六条の三)。「四〇人以上」というハードルは高く、一定規模の会派でなければ利用できませんが、いわゆる「消えた年金記録問題」は、「国民年金・厚生年金の納付した保険料の記録が消滅する事案等に関する予備的調査要請書(松本剛明君外四二名提出、平成一八年衆予調第四号)」を受けてまとめられた報告書(二〇〇七年二月)で明らかになりました。

2. 政府・行政監視機能

国会の政府・行政監視(統制)機能は、議院内閣制の下では、時に立法機能以上に重要です。国会による行政統制にかかわる情報発信は特別なことではありません。両議院が、内閣総理大臣およびその他の国務大臣に「答弁又は説明」のために出席を求め、公開の場で内閣と不断に対話することを、憲法は求めています(六三条)。国会審議そのもの、委員会や本会議での審議・質問制度を利用して、日常的に実行される行政統制を通じて、国会は国民に向かって情報を発信することができます。行政機構に分散してしまった政府活動の情報を集め、内閣と対話し、その政策評価を行うことで、国民による政府批評を喚起するのです。

立法の本質が多数決原理による意思決定であるのに対して、統制の本質は、世論の喚起という、多数派に対する対抗権力の行使にあります。少数派の野党であっても、この観点から大きな力を発揮することが可能です。この力を知るからこそ、政府は論戦から遠ざかる誘惑にかられます。第二次安倍政権以降、むしろ「審議嫌い」とでもいえるような傾向がみられます。

質問制度

質問は、行政監視の重要な手段です。「質問」とは、議題と関係なく内閣の権限に属する事項のすべて、つまり国政全般にわたって、内閣に説明を求め、あるいは見解を質す行為をいいます。議院内閣制を採用している諸国では、口頭質問が定期的に実施されています。

これに対し、日本の国会での質問は、書面で行うのが原則で、内閣に質問したいと考える議員は、その内容を「質問主意書」と呼ぶ文書にまとめて議長に提出しなければなりません。提出された質問主意書は、議長の承認を得たうえで内閣に送られ、内閣は原則として七日以内に書面で返答します。

国会法上、質問が緊急を要するときに限って、議院の議決を経て、本会議の場で質問できるという規定(七六条)があります。一九七〇年代前半まで、比較的活発に活用されていましたが、その後急速に衰退しました。野党議員から質問の希望が出ても、与党の賛成が得られず議院の許可が下りなくなり、野党議員の質問が阻まれることになりました(大山礼子『政治を再建する、いくつかの方法——政治制度から考える』)。

口頭質問の代替としての予算委員会「質疑」

一問一答の口頭質問の代替となっているのが、予算委員会等の質疑です。予算は一年間の国政のあり方を決め、予算の作成と執行は内閣の責任の下で行われるため、予算委員会での質疑は、予算の執行主体である内閣の政策方針や行政各部の対応、閣僚の資質問題を含む、国政のあらゆる重要事項が対象となります。予算全体について質疑する基本的質疑の各党一巡目は、首相、場合によっては全閣僚がその答弁の有無にかかわらず出席を義務づけられ、各党も花形議員を質疑に立たせる傾向があります。細目に関する一般質疑については、首相の出席が免除され、答弁要求された大臣だけが出席すれば足りるとされています。予算委員会は、委員長(実際には与野党合意)が開会を決めるため、多数派の意向を無視することができません。むろん、毎年予算の議決を得なければなりませんから、常会での予算委員会の開会は必須といえます。しかし予算案を衆議院で議決した後は、政府与党には、予算委員会を開くメリットがありません。むしろ、予算委員会は野党の活躍を知らしめる機会となり、政府与党にとってデメリットがあると感じているかもしれません。

質疑時間の配分問題

二〇一七年の衆議院総選挙後、衆議院での与野党の質疑時間の配分をめぐる論議が起きました。国会法や衆議院規則には、時間配分に関する明確な定めがありません。NHKのテレビ中継が入る予算委員会の質疑時間の配分は、およそ与党二割、野党八割で、民主党政権時代に、当時野党であった自民党が強く申し入れたからだといわれています(二〇一七年一一月六日逢坂誠二衆議院議員質問主意書、参照)。これが衆議院の新たな慣行になりかかっていたところ、与党側から、野党の質問時間を削り、議席数に応じて質問時間を割り当てようという声が上がりました。質疑時間が短い与党議員の若手に質問の機会が少ないことへの不満があり、地元の有権者にアピールできないというのが理由でした。

「国会議員が等しく質問できるよう各会派の議席数に応じて質問時間を配分するのは、国民の側からすればもっともな意見だ」という見方もありましたが、国会の役割を踏まえた意見とはいえません。自民党は政府が法案や予算を提出する前に党内で事前審査をし、所属の国会議員に厳しい党議拘束をかけているため、与党議員が国会で政府提出法案に鋭い質問をする動機づけは弱いといわざるを得ません。「質疑を通して政策の問題点や閣僚の不祥事をあぶり出す役割は主に野党が担っている」ことから、行政権力を監視する国会の役割からすれば、野党が質疑時間の削減に反対することには、十分な論拠があるといえます(二〇一七年一〇月三一日、日本経済新聞電子版)。

二〇一八年度予算を審議する予算委員会の質疑の割り当てをめぐって激しい攻防がありましたが、最終的には、与党三割、野党七割で妥協が成立しました(二〇一八年一月二五日、朝日新聞電子版)。与党の質疑の時間を本気で確保したいのであれば、審議時間を大幅に延長するという選択肢もあったはずです。

隠れ審議拒否

ところで、野党は、毎国会のように、「予算委員会の集中審議」の開催を求めています。集中審議とは、文字通り、何か特定の重要問題にテーマを絞り、委員会において質疑を行うことをいい、首相が出席し、ＮＨＫテレビで放送もされます。衆議院規則六七条二項、参議院規則三八条二項によれば、委員の三分の一以上から要求があったときは、委員長は、委員会を開かなければなりません。二〇一九年四月、野党は衆参両院の予算委員会の開催を求めましたが、衆参両院の予算委員長は、いずれも、与党の開催合意が得られないとして、事実上の開会拒否を回答しました。国会法四九条は、「委員会は、その委員の半数以上の出席がなければ、議事を開き議決することができない」と定めています。野党が委員会開会を要求し、委員長が委員会を開会しても、与党の委員が欠席すれば、委員会が流会になってしまいます。こうした審議拒否に至らない前段階で、そもそも「開会しない」という決定がなされたことになります。これには、有権者の目に見えない「審議拒否」だという批判があります。

臨時会の召集と冒頭解散

二〇一七年の通常国会は、会期延長なしで六月一八日に閉会しました。その直後の二二日、衆議院議員一二〇名および参議院議員七二名の野党議員から、臨時国会の召集要求が提出されました。当時は、森友・加計両学園疑惑が焦点となっている時期でした。憲法五三条は、「いづれかの議院の総議員の四分の一以上の要求があれば、内閣は、その召集を決定しなければならない」として、少数派が臨時国会を開催する手立てを用意しています。

自民党が野党時代の二〇一二年に起草した憲法改正草案五三条は、「いずれかの議院の総議員の四分の一以上の要求があったときは、要求があった日から二十日以内に臨時国会が召集されなければならない」と定めています。『日本国憲法改正草案Q&A 増補版』(自民党、二〇一三年一〇月)は、現行の憲法に召集期限が定められていないことにふれ、「臨時国会の召集要求権を少数者の権利として定めた以上、きちんと召集されるのは当然である」という趣旨から、「二〇日以内」という召集期限を定めた旨を説明しています。

安倍内閣は、臨時国会の召集を回避し続け、九月一五日になって、九月二八日に臨時国会を召集する方針を決定しました。ところが、安倍首相の所信表明演説や各党の代表質問がなされることなく、国会の召集日に衆議院は解散されました。野党の要求に基づいて召集された臨時国会冒頭での解散は一九九六年の第一次橋本内閣による解散がありますが、そのときは、野党側も早期解散に同意していました。四分の一以上の国会議員が審議を目的に臨時国会の召集を要求したにもかかわらず、まったく審議を行わずに解散した例は過去にありませんでした。審議を回避するために衆議院が解散されたのです（大山礼子「審議回避の手段となった衆議院解散権——二〇一七年解散総選挙と議会制民主主義」『憲法研究』二号、二〇一八年）。

3. 強い内閣——壊れた均衡

内閣によるこのような審議回避が通用するのは、選挙の勝利を至上目的とする民主主義観（選挙民主主義）の下で、選挙によって出現した（小選挙区制の効果で水増しされた）多数派に基盤を置いた多数決が、強引な政権運営を正当化しているからです。このため、与党にとっては、政権の維持＝選挙に「負けない」ことが至上目的となっています。

九〇年代政治改革

今日（こんにち）の内閣のあり方は、選挙制度改革および一九九六年に発足した橋本内閣による一連の行政改革にさかのぼります。橋本行革は、政治主導による行政（＝官）の統制を掲げて、内閣機能強化と中央省庁改革を実現しました。首相主導で重要政策を発議・遂行するため、内閣府を設置して、首相官邸機能を強化しました。内閣官房は、「総合調整」と「企画立案」を推進する、文字通りの総合司令塔となりました。「国務を総理する」内閣を実現する一連の改革を提唱した行政改革会議は、その「最終報告」において、「日本国憲法のよって立つ権力分立ないし抑制・均衡のシステムに対する適正な配慮」を鑑み、国会改革・司法改革の必要を訴えました。しかし国会改革は小手先に終わり、抜本的な改革は置き去りにされました。

強いリーダーシップ

小泉内閣（二〇〇一―〇六年）は、政治（選挙・行政）改革によって強化された首相権力を知り抜いていました。小泉首相は、首相の手に事実上握られた解散権と人事権を駆使して、経済財政諮問会議を活用してトップダウン型の政権運営を行い、「劇場型政治」を展開しました。その絶頂をしめすのが、二〇〇五年のいわゆる「郵政解散」総選挙です。

小泉首相の長年の主張であり、内閣の最重要課題でもあった郵政三事業（郵便、郵便貯金、簡易生命保険という三つの事業の総称）の民営化を目的とした郵政民営化法案は、自民党内の事前審査で反対意見が噴出し、従来の慣行に反して、多数決による了承のみで国会に提出されました。国会での審議が始まっても党内の異論は収まらず、党議拘束にもかかわらず大量の造反者が出ました。衆議院本会議で五票の僅差で可決されたものの、参議院では否決されてしまいました。小泉首相は、国民の支持率は高かったのですが、派閥の領袖ではなく、与党内での基盤は盤石ではありませんでした。

政治家は「衆議院の解散は首相の専権事項だ」という言い方をしますが、解散権は内閣に属し、行使に当たっては、閣議決定が必要です。二〇〇五年の解散に際しては、島村宜伸農林水産大臣が解散の決定に署名することを拒否しました。そこで小泉首相は、島村農林水産大臣を罷免し、自ら農林水産大臣を兼務して閣議決定を行い、衆議院を解散しました。

小泉首相は、総選挙では、造反議員に党の公認を与えなかったばかりか、造反者の選挙区に対立候補（「刺客」）を送り込みました。この解散・総選挙は、首相の党内基盤の強化を狙った、「起死回生の賭け」（前掲・大山「審議回避の手段となった衆議院解散権」）とでもいうべきものでした。選挙は、政権選択としてではなく、事実上、「郵政民営化」＝「小泉首相の信任」の是非を問うものとなりました。これは、解散当日の夜、小泉首相が、テレビの全国放送を通じて「今回の解散は郵政解散であります。郵政民営化に賛成してくれるのか、反対するのか、これをはっきりと国民の皆様に問いたいと思います」と語りかけたことが大きかったと思います。いうなれば、プレビシット的効果をもった解散総選挙になりました。

結果は、小選挙区制の威力を見せつけるものになりました。連立与党は三二七議席、衆議院の総議席の三分の二強を獲得するという圧倒的な勝利を収めました。召集された特別国会で、衆議院解散の引き金となった参議院での否決法案とほぼ同一内容の郵政民営化法案が提出され、可決されました。前立法期に反対票を投じた与党の参議院議員が「選挙に示された国民の意思を尊重した」結果、衆議院で三分の二の多数を獲得し、再議決を経ることもありませんでした。

在任期間が一九八〇日に及んだ小泉内閣以後、二〇〇九年の本格的政権交代を挟んで、短命内閣が続きました。二〇一二年の第二次安倍内閣発足後、二〇一三年の参議院選挙で連立与党が勝利を収め、「ねじれ国会」(衆議院と参議院の多数派がそれぞれ異なること)を解消し、安倍政権は、解散を行うことでリセットし、有権者の政権選択を封じ込め、「負けない」選挙を演出してきました。政権運営は安定し、首相「一強」と呼ばれる状況が続き、安倍首相は、二〇一九年一一月二〇日に桂太郎の在任期間二八八六日を抜き、二〇二〇年三月末現在、在任期間の日本記録を更新中です。安定した与党・与党連合が出現したことで、内閣の地位は強化され、国会は、高効率な立法マシーンとして働いています。

権力抑制装置の脱中立化

第二次安倍政権以降、内閣から独立しているとみなされていた機関への、人事権を用いた内閣の介入ないし、当該機関による内閣への「忖度（そんたく）」が際立っています。結果、本来専門性が尊重され、中立とみなされていた機関が、党派色に染まる傾向があります。

まず、本来政府から独立している中央銀行(日本銀行)の総裁人事で、アベノミクスと呼ばれる政権の経済政策に同調する方向へ日本銀行の金融政策を転換させました。

次に、内閣法制局がターゲットになりました。内閣法制局は、一八八五年に内閣制度が発足した時につくられた組織で、内閣が立案する法令案が憲法や既存の法律からみて問題がないか審査し、首相や閣僚に意見を述べる、いわば内閣・政府の法律顧問団です。日本で違憲判決が少ないのは、内閣法制局の事前チェックがあるからだといわれてきました。内閣法制局は、政府の法の解釈を安定的に保つことで、「法の支配」を実現してきました。内閣法制局には、各府省が法律に詳しい官僚を出向させています。長年、長官は総務（旧自治）、法務、財務、経済産業の四省出身者に限られ、憲法解釈を担当する第一部長から法制次長を経て長官に内部昇格するのが人事慣行でした。

憲法九条をめぐっては、司法裁判所は積極的に解釈をしてきませんでした。代わりにこの役割を担ってきたのが、内閣法制局です。国会での質疑を通じて、内閣法制局が緻密な論理を組み立てて九条の政府解釈を築き上げてきました。その中から、憲法上、集団的自衛権の行使は禁じられているという政府見解も導かれました。第二次安倍政権はこの解釈を変えるため、小松一郎駐フランス大使を登用する異例のトップダウン人事に踏み切りました。小松長官が病で辞職した後、横畠裕介法制次長が継ぎ、政権に寄り添って、二〇一四年集団的自衛権の政府解釈変更を成し遂げ、二〇一五年の安全保障関連法の成立に努めました。

憲法解釈の変更は禁止されてはいませんが、内閣の都合に合わせ、これまでの解釈との理論的整合性を犠牲にして自由に変更ができるとなると、内閣はもはや憲法に拘束されないことになります。そのうえ、新しい解釈によれば、これまで「専守防衛」の範囲が明確であったのに、いつどんな場合に武力行使ができるのか、外延が不明瞭になってしまいました。当時多くの憲法研究者が「立憲主義」の観点から懸念を示したことから、「立憲主義」という言葉が人々に知られるようになったのは、皮肉なことでした。

内閣法制局長官は、内閣法制局設置法によれば、内閣によって任命される(二条一項)、国家公務員法の対象とならない政治的任用の特別職です。第二次安倍政権による人事は、それまでの慣行にこだわらず、思うままに遠慮なく人事権を行使した結果だったといえます。内閣法制局長官は、内閣のお目付け役ではなく、メンバーの一人だということに思いを致す必要があります。

二〇二〇年にはいって、検事総長ポストの候補者のために、当該候補者の定年を延長したという話が伝わってきました。検察官の定年を定めた検察庁法(二二条)と、国家公務員の定年延長を定めた国家公務員法(附則一三条)との関係についての法解釈を変更する口頭決裁を行ったという前代未聞の説明がなされています。検察官の定年制には国家公務員法は適用されないはずだという野党の批判が高まる中、検察官を含めた国家公務員の定年を延長する法案が提出されました。ルール違反をなかったことにするためにルールを変えるような法改正です。時に権力の中枢の犯罪も逃さない検察のあり方は、もはや望めない状況になりつつあるのでしょうか。

第8章　プラットフォームが壊れる

国会での審議にしろ、解散・総選挙の場面にしろ、政治的主導権が政府与党にあることは、否めない事実です。加えて、政府与党と野党を比べた場合、マスメディアへの露出度、情報の発信量は、圧倒的に政府与党が凌駕(りょうが)しています。こうしたことは、多かれ少なかれ、民主主義国家で起こっています。それでもなお「民主主義」の枠内で起こっているといえるのは、それぞれのアクターが憲法の枠の中で活動しているからです。「みんなで決める政治」の矩(のり)をこえないからです。議院内閣制のシステムを官僚制度が下支えしているからです。自由で注意深いメディアが、国民の目となって監視しているからです。民主主義に信頼を寄せる国民が、積極的にこの制度にかかわりあおうとしているからです。

第Ⅰ部で見たように、議会制民主主義が機能するためには、その環境整備のための努力が歴史的に積み重ねられてきました。そうした土台となる環境(以下、「プラットフォーム」という)は、議会制民主主義のアクターのそれぞれが尊重することで培われ、鍛えられ、守られてきました。

このプラットフォームそのものが壊れることは、もはや議会制民主主義が機能しなくなることを意味しています。昨今の出来事は、こうした懸念を強めるものになっています。

1. 不誠実な答弁

両院に盤石な絶対多数を有していれば、提出法案を通すために、内閣には野党側を説得するインセンティブは働きません。時間の経過によって「審議」のアリバイがあればよいことになります。審議嫌いの内閣が「審議回避」という分かりやすい行動に出てくれるのであれば、国民も内閣の「審議嫌い」を容易に判断できるかもしれません。現政権の下で目立っているのが、政府の「不誠実な」答弁です。

「かみ合わない返答」がもはや常套手段化しています。問いかけに対して、かみ合わない説明をくどくどとして野党議員の質疑の持ち時間を浪費し、意図的に論点をずらして答弁をし、結局、肝心の問いかけには何も答えないというやり方です。質疑に応じている「感」を出しながら、その実は、「何も答えていない」という事態です。これが存外知られていないのは、テレビのニュースでは、野党議員の質問に政府が誠実に応答しているように編集され、報道機関が「野党の質問が決め手を欠いている」と解説しているからです。質疑全体のやり取りは両議院のHPで公開されていますが、時間をかけてこれを視聴する人など稀です。だから国会審議のハイライトを知らせてくれるものとしてニュース報道に期待したいのですが、前述したような実態があります。

「ご飯論法」

二〇一八年の通常国会で審議された「働き方改革」は、労働基準法という、働いて給与を得ている人たちの権利を守る重要な法律に穴をあけ、「高度プロフェッショナル」(以下、「高プロ」という)と呼ばれる、労働基準法第四章(労働時間、休憩、休日及び年次有給休暇)の適用から除外されるカテゴリーの労働者を作り出すものでした。これは経営者にとっては使い勝手の良い「改革」ですが、労働者には好ましいものとはいえませんでした。「働き方改革」の一連の法案審議に際し、当時の厚生労働大臣(以下、厚労大臣という)が行った国会答弁を「ご飯論法」として紹介したのが、労働政策の専門家で国会パブリックビューイングを広めている法政大学教授の上西充子さんです。秀逸なたとえです。その法案審議では、野党からの追及が激しかったのですが、厚労大臣のかわし方があまりに悪質で、上西さんはそこをズバリ「論点のすり替え」「はぐらかし」「個別の事案にはお答えできない」「話を勝手に大きくして答弁拒否」の四つの視点から指摘したのです。

Q「朝ごはんは食べなかったんですか?」
A「ご飯は食べませんでした(パンは食べましたが、それは黙っておきます)」
(上西充子「「朝ごはんは食べたか」→「ご飯は食べてません(パンは食べたけど)」のような、加藤厚労大臣のかわし方」YAHOO!ニュース、二〇一八年五月七日)

「朝ごはんを食べたか」と問われたとき、あなたならどう答えますか? 誠実な答え方は、「食べました」です。しかし、回答者は、「食べた」と答えたくないので、朝「ごはん」ではなく、「ご飯」を食べたかを問われているように論点をすり替え、つまりずらしたうえで、「ご飯は食べませんでした」と答えています。実際は、「パン」を食べていたのですが、それについては一切ふれていません。そうするとどうでしょうか。尋ねた人は、「朝ごはんは食べなかったんだな」と思ってしまうのではないでしょうか。

Q「何も食べなかったんですね？」
A「何も、と聞かれましても、どこまでを食事の範囲に入れるかは、必ずしも明確ではありませんので…」

（同前掲）

「朝ごはんを食べなかったんですね？」と再び確認をとっているのに、それに答えたくないので、「どこまでを食事の範囲に入れるかは、必ずしも明確ではありません」とはぐらかしているのです。

Q「では、何か食べたんですか？」
A「お尋ねの趣旨が必ずしもわかりませんが、一般論で申し上げますと、朝食を摂る、というのは健康のために大切であります」
Q「いや、一般論を伺っているんじゃないんです。あなたが昨日、朝ごはんを食べたかどうかが、問題なんですよ」
A「ですから…」

（同前掲）

個別事案には答えないというのは、審議の対象となっている具体的な事案の経緯も、背景も何も説明されないということです。抽象的な一般論を語られても意味がありません。ここに言う「ですから」は、相手の意見を踏まえた「ですから」ではなく、「さっきから言っているように」という意味の「ですから」で、「何度、同じことを言わせるんだ」という意味の、威圧的な上から目線の「ですから」です。

Q「じゃあ、聞き方を変えましょう。ご飯、白米ですね、それは食べましたか」

A「そのように一つ一つのお尋ねにこたえていくことになりますと、私の食生活をすべて開示しなければならないことになりますので、それはさすがに、そこまでお答えすることは、大臣としての業務に支障をきたしますので」　（同前掲）

このように、一つ一つの事実の確認もままならず、一向に質疑が深まらないまま、時間が空費されました。「ご飯論法」の一例をあげておきます。国語の答案として、野党議員の問いかけに大臣がちゃんとかみ合った受け答えができているのか、採点してみてください。

✎演習課題：「高プロ問題」大臣答弁

以下のやり取りの前に、野党議員は、厚労大臣から、高プロは「労働時間制をとっていない」が、健康を確保するために、法律上「年間百四日かつ四週間当たり四日以上の休日取得を義務付けている」との答弁を引き出しました。それを受けて質問を続けています。

議員「年百四日以上の休日と言ったけど、年百四日というのは週休二日で当てはまるわけですね。土日さえ休ませれば、盆も正月も祝日もゴールデンウイークも全部働かせてもいいんだと。しかも、毎週二日を休日とすることじゃないんです、これ。四週で四日以上です。だから、理論的に言えば、四週間で最初の四日間さえ休ませれば、あとの二十四日間は、しかも休日も時間制限もないわけだから、二十四時間ずうっと働かせる、これが、いや、論理的にはこの法律の枠組みではできるようになるじゃないですか。私が言ったことが法律上排除されていますか」

大臣「委員が言われた働かせるという状況ではなくて、働かせるということであれば本来この制度というのは適用できなくなってまいりますので、そういった意味では、あくまでも本人が自分で仕事を割り振りして、より効率的な、そして自分の力が発揮できる、こういった状況をつくっていくということであります」

（第一九六回国会　参議院　予算委員会会議録第五号、二〇一八年三月二日）

野党議員は、連日にわたり二四時間ずっと働かせることが法的にはできるようになる、法律上、排除されないということを認めさせようとしているのですが、厚労大臣は、「働かせる」を「強制して働かせる」意味にすり替えて、そもそも高プロは本人の同意によって実施される働き方だから、「働かせる」仕組みになっていないと言ってはぐらかしています。

議員「四日間休ませれば、あとはずっと働かせることが、百四日間を除けばずうっと働かせることができる。計算すればこれ六千時間になりますよ、六千時間を超えますよ。これを排除する仕組みが法律上ありますかと聞いている」

大臣「ですから、今申し上げましたように、働かせるということ自体がですね……いや、働かせるということ自体がこの制度にはなじまないということでありますから、ですから、それを踏まえて先ほど申し上げて、法の趣旨を踏まえた指針を作っていく（中略）こういった議論がなされているわけでありますから、今委員おっしゃったようなことにはならないだろうというふうに思います」　　（同前掲）

野党議員は、法律のレベルで質問をしているのに、大臣は指針に委ねると答えています。なぜ指針に委ねられるのかと言えば、法律に書かれていないからですが、大臣は、そのことにはふれていません。

議員「私は質問ちゃんと言っているんです。なるかならないかと聞いているんじゃない。法律上排除されることになっていますかと、私が今指摘したような働き方は法律上できないという規定に合っていますかと聞いているんです」

大臣「ですから、一般であれば、残業が命じられて、そしてそれにのっとって仕事をしなきゃならないわけであります。しかし、この高度プロフェッショナルはそういう仕組みになっていないんです。法の趣旨もそうでないんです。（後略）」　　（同前掲）

普通の働き方であれば、二四時間働くと当然「残業」ということになりますが、高プロは労働時間制をとっていませんから、「残業」という概念自体が存在しません。「残業」がないのが法の趣旨だと言っても、二四時間働くという事実がありますが、大臣は、そのことを言いたくないので抵抗しています。

議員「答えていないです、答えていないんですよ。その趣旨がとかと言うけど、法律上そういったことが禁止されていますかと聞いているんです。イエスかノーかではっきり答えてください」

大臣「先ほどから同じ答弁になって恐縮でございますけれども、その法律の仕組みの中で、今申し上げたこと、そうした懸念を排除していく、そういったことを考えていきたいと、こういうふうに考えております」

（同前掲）

「先ほどから同じ答弁になって恐縮でございますけれども」と言って、野党議員が同じ質問を繰り返して無駄に答弁させられている、野党議員は時間を浪費しているとほのめかしていますが、なぜ「同じ質問を繰り返しているのか」と言えば、尋ねたことに答えていないからです。

議員「全く答え、逃げている。じゃ、こういうふうに聞きますね。百四日間さえ休めば、残り年間六千時間を超える労働をしても、それは違法にはなりませんね、今回の高プロの仕組みでいえば違法にはなりませんね」

大臣「その違法という意味はあれですけれども……いやいや、ですから、それ自体を規制するという規定はありません。ただし、ただし、それはさっきも申し上げたような、指針をどう作り、そしてそれをどう決議していくのか。この仕組みはですね、いやいや、労使委員会で決めた仕組みの中でやっていくということが大前提になっているんでありますから、それを無視してですね、法律だけでは全てが規定されないと、そういう前提になっているということを御理解いただきたいと思います」

議員「最初の一言を言えばいいんですよ。法律上はそれは違法になっていないわけですよ。そんなことはあり得ないとか業務命令出ないとか、そんなのは合意にならないとか幾ら言ったって、実際に過労死起きているんですよ。とんでもない経営者がいっぱいいるわけですよ。それを強行的に止める仕組みが労働基準法なんですよ。(後略)」

(同前掲)

ようやく大臣は、一〇四日間休んで、残り年間六〇〇〇時間を超えての労働を法律が排除していないことを認めましたが、そのあともはぐらかしを続けてごまかそうとしています。五つの質問のうち、最初の四つは質問の趣旨を取り違えた回答で、五番目の質問には答えてはいるけれど、余計なことを言っています。これでは減点です。よって、百点満点で一〇点評価でしょうか。余談ですが、試験の答案で余計なことを書くと、「質問の意味が分かっていない」と評価される場合がありますから、注意したほうがいいですよ。

野党がめげずに「同じ質問を繰り返し」、高プロの危険性が明るみに出ました。その結果、法律の運用には省令(厚労省が決めるルール)で歯止めがかけられるようになりました。結局、「高プロ」制度は雇う側にも使い勝手の悪いものになり、二〇一九年四月一日から実施されていますが、利用する企業はきわめてわずかなようです(厚労省「高度プロフェッショナル制度に関する届出状況(令和元年度)」)。

不誠実な答弁で質疑が深まらなければ、審議時間の徒過を待って、国会は「賛成／反対」を表明する場でしかなくなります。「賛成多数」を構成する、手上げ要員のような与党議員が確保されていればよいだけの場所になってしまいます。この結果、「国会は言論の府にふさわしくない」と烙印（らくいん）を押されているのです。

2. 官僚機構のほころび

統計不正問題

二〇一八年暮れから二〇一九年にかけて、国会審議で大問題になったのが、統計不正問題です。ことの発端は、二〇一八年八月に発表された六月分の現金給与総額が前年比三・三％増という結果を出したことでした。これに対して専門家が疑問を提示し、その後、統計不正が発覚しました。本来この統計のための調査は、東京都の場合五〇〇人以上の企業の全数調査を行うべきところ、二〇〇四年一月より、三分の一を抽出して調査し、復元補正を行わないでそのまま調査結果としたため、実態よりも低めに数値が出ていたところ、二〇一八年一月からは復元補正を行うことで、二〇一八年八月のような公表結果が出たというものでした。

これは本来、与野党議員が対立する問題ではありません。むしろ与野党一体となって、政府統計の信頼回復のための努力をすべきでした。なぜなら、政府統計は、政策の基本をなし、さまざまな行政措置の裏づけになるものだからです。統計結果は、雇用保険、労災保険などの給付に反映されていますから、この間、不正に低く見積もられた給付が行われたことになります。

不正調査の根本原因には、統計職員数が異常に少ないことがあります。総務省の資料によると、日本の統計職員の数はカナダの一〇分の一、フランスの六分の一といわれています。全省庁の統計職員数は、二〇〇六年の五五八一人から二〇一六年の一八八六人とこの一〇年間で六六％（三六九五人）も削減され、厚労省本省の統計職員数も二〇〇六年の三三一人から二〇一六年の二三七人へと激減したという話です（井上伸「毎月勤労統計不正の背景の一つにはフランスの六分の一と異常に少ない日本政府の統計職員数がある」ＢＬＯＧＯＳ、二〇一九年一月二一日）。

もとになる「統計調査」がずさんであれば、そこから導かれる統計結果が当てにならないことぐらい、子どもでも分かる理屈です。統計調査を軽んずる国家の姿が、浮き彫りになりました。国民生活の実相を知ることなしに政策を立案するようなものです。政策の基礎がないも同然といっていいかもしれません。加えて、統計調査は省庁の縦割りで行われ、全体で共有されていないことを、私も今回初めて知りました。その意味するところは、全省庁がそれぞれの知恵を出し合って国家全体の政策体系が練り上げられているわけではないという疑いです。これでは総力をあげて難局を乗り切ることが期待できません。

公文書の隠蔽・改竄

それ以上に深刻なのが、公務員による公文書の隠蔽・改竄が行われたことです。近代官僚制は「文書主義」で活動しており、何かを決定するときには原則として文書がつくられ、それに基づいて行政が執行されます。とくに決裁文書は、行政組織として最終的な意思決定を下した証拠になり、行政の正確性を確保し、責任の所在を明確にします。法治主義は、特定の人物の恣意で行政活動が行われるのでなく、法文の根拠に基づいて行われるのが原則です。公文書は、国会等の審議の前提となり、のちに政策評価を行うときの資料となります。さらに、「全体の奉仕者」としてふさわしい仕事をしていることを証明する、官僚自身の存立基盤を守るための必須のアイテムです。法律の趣旨に沿わない不当な指示が政治家から出された場合には、官僚組織を防御する手段となるはずのものです。

公文書の隠蔽・改竄を聞いたときに思い浮かべたのは、作家の保坂正康氏の講演で聴いた話(保坂正康「語り継ぐべき憲法の歴史的精神とは何か」『憲法問題』二七号、二〇一六年)です。

一九四五年八月一四日、日本がポツダム宣言の受諾を決めた日、閣議で、あるいは軍事機構の会議で、太平洋戦争に関する資料は全部燃やせという命令が出ました。市町村のすみずみにあるものまで燃やすということで、一五日から一週間ほど、日本の官公庁からは煙が燃えたっていました。それほどまでにして資料を全部燃やしたということです。保坂さんは、「ポツダム宣言第一〇項に、この戦争を起こした戦争責任者を裁くという一項があったからです」と説明しています。都合の悪いことを燃やしてなかったことにしたのです。こうして、後に行われた東京裁判である被告は、「私はこのことに関与していません、そういう資料はないはずです」と言い、裏付けの資料として「内務省などの課長の、誰々についての資料は全部燃やしましたという文書が法廷に出てくる」という漫画のような光景が演じられたといいます。

公文書とは、「健全な民主主義の根幹を支える国民共有の知的資源として、主権者である国民が主体的に利用し得るもの」で、国民主権の理念にのっとり、適正に管理されるべきものです。適切な公文書の管理があってこそ、「行政が適正かつ効率的に運営される」のです(公文書管理法一条参照)。各行政機関の歴史的に重要な決裁文書は、国立公文書館などで永久保存され、一般に公開されています。

国有地の売買契約をめぐる森友学園の問題は、面会・交渉記録の改竄をめぐって自殺者まで出してしまいましたが、政権は、財務省の一部の職員が行った特殊事例として処理しました。これが「一部」にとどまらないことが発覚したのが、いわゆる「桜を見る会」問題です。

公文書の廃棄

総理主催「桜を見る会」は、内閣府の「開催要項」によれば、皇族、各国大使から閣僚、国会議員、認証官(最高裁判所裁判官、検事総長、会計検査院検査官など、その任免について天皇の認証を必要とする官職)まですべて招待され、事務次官や局長、都道府県知事・議長はいずれも「一部」が招待され、功労功績のある「その他各界の代表者等」が、「合計約一万名」となっています。安倍政権以前は、招待客は約一万人で、それに合わせた予算一七六六万円が組まれていました。その後予算額が変わらないまま、参加者数が一万八二〇〇人まで急増し、予算超過の支出になりました。

この参加人数の急増について、総理大臣の後援会員が多数招待されている事実があり、「開催要項」の逸脱と、さらに前夜祭とセットになって、税金を使った後援会の一大行事になっているのではないかという疑いを、野党議員が参議院予算委員会で質しました。実際、地元では「安倍事務所ツアー」として参加者を募っていたという報道があります(二〇一九年一二月三一日、毎日新聞電子版)。もし疑い通りであれば、予算の目的外使用という意味で財政法違反、饗応による買収で公選法違反を問われる事態です。また「事務所ツアー」の金銭のやり取りが報告書に記載されていないことから、政治資金規正法違反の疑いもあります。

疑惑をすっかり晴らすためには、参加者名簿を出して、ルールから逸脱がないことを示せば済む話でした。総理大臣は、招待者の「功労・功績」については、「個人情報」を盾に詳らかにしませんでした。それどころか、内閣府は、五月に野党議員が参加者名簿の開示を求めたまさにその日に、「たまたま」シュレッダーにかけて廃棄していたのです。この符合を問い質すと、「各局の使用が重なり、大型シュレッダーの予約が取れた日がたまたま同じだった」という釈明が返ってきました。電子データが残っているはずだとして復元を求めても、電子データを破棄したと回答し、ログデータで破棄の日付けの確認を求めても拒否し、さらに、バックアップデータは、(国会議員の要求に従って政府が提出を義務づけられている)「行政文書」ではないから復元「しない」と言い、いつの間にか、バックアップデータは八週間で消去されるからそもそも復元「できない」と回答しています。何が何でも名簿を守り通そうというものです。このために行政文書の取り扱いルールがいつの間にか変更され（事実がルールに従うのではなく、事実に合わせてルールが融通無碍に変えられ）、そのはざまにあった過去の名簿が審査もなしに違法に廃棄されていることが明るみになっています。

「いつまで桜をやっているんだ」「他にやることがあるだろう」という批判を聞きます。「根も葉もない批判」という証拠を示せば、それで終わる話です。「不正でない証拠は廃棄したから、不正をしていない」と言うのでは、通常の論理能力の持ち主であれば、「意味が分からない」と言うほかありません。「桜以外のこと」も同時並行で審議が行われていますから、「桜」一色ではありません。答弁する側は「同じことを聞かれているので同じことを答えるほかない」と枕詞を復唱し、何も進展していないような印象操作を行っていますが、質問と答えがかみ合っていないことこそ、批判すべき点です。こうしたうんざりするやり取りが三カ月以上も続いています（二〇二〇年二月現在）。有権者が国会に失望し、有権者の政治離れを引き起こすために、このような没論理的低次元の問答を繰り返しているのではないかと疑うほどです。

3．言論空間の歪み

閣議決定による意味変更

「桜を見る会」に、「反社会的勢力」が参加していたのではないか、という一部週刊誌の報道がありました。SNSに投稿された、招待者と官房長官のツーショット写真の中に、反社会的勢力と目される人物が写っていたからです。官房長官は、二〇一九年一一月二七日の記者会見で、反社会的勢力という言葉はさまざまな場面で使われることがあり、「定義が一義的に定まっているわけではないと承知している」、「反社会的勢力が桜を見る会に出席したということは、私自身、認識してない」と発言しました(二〇一九年一一月二七日、朝日新聞電子版)。この発言は、二〇〇七年の「企業が反社会的勢力による被害を防止するための指針」において、「反社会的勢力」を「暴力、威力と詐欺的手法を駆使して経済的利益を追求する集団又は個人」と定義し、民間企業においても、この定義の下に反社会的勢力との関係遮断に取り組んでいることと、齟齬をきたします。二〇一九年には、複数の芸人さんが反社会的勢力とされるグループと同席して一緒に写真を撮り、金銭を受領したのではないかと報道され、一時仕事を失うという騒動があったことを知っている方もいるでしょう。そこで野党の衆議院議員が、反社会的勢力について質問主意書を提出しました。

政府は、二〇一九年一二月一〇日、「反社会的勢力」については、「その形態が多様であり、また、その時々の社会情勢に応じて変化し得るものであることから、あらかじめ限定的、かつ、統一的に定義することは困難である」とする、閣議決定を行いました。また、「政府が過去に行った国会答弁、政府が過去に作成した各種説明資料等における「反社会的勢力」との用語の使用の全ての実例やそれらのそれぞれの意味について網羅的に確認することは困難である」としました(内閣衆質二〇〇第一一二号)。

この閣議決定により、反社会的勢力かどうかの基準が曖昧になり、警察から反社会的勢力との取引や交際の禁止を厳しく求められている民間企業は、どのように自らの行動を律すべきかの判断が難しくなります。地方自治体レベルでも、暴力団排除条例を制定して取り組んでいますが、この取り組みも骨抜きになるおそれがあります。

日本語の崩壊——コミュニケーション不能

二〇二〇年一月二八日の衆議院予算委員会で、野党議員が、首相の地元事務所が「桜を見る会」に支援者らを幅広く招待した問題を取り上げました。そのやりとりを少し長くなりますが、紹介します。一時話題になりましたから、すでにテレビやネットニュースでご存じの方もいるかもしれませんね。そこから見えてくるのは、大げさなようですが、国会という国民を再現前する場での、コミュニケーション・ツールである日本語の崩壊現象です。

野党議員は、現政権になって桜を見る会の開催要項を守らないでいるから招待客が倍増したと問題提起をした後で、首相の地元事務所が用意した「桜を見る会の申込書」を示しながら、首相に質しました。

議員「桜を見る会は各界功績、功労ある方々を招くものですが、(事務所の申込書には)功績、功労を書く欄はどこにもありません。紹介者欄があって、そして、参加される方が御家族、知人、友人の場合は別途用紙でお申し込みください、コピーして御利用くださいとあります」(中略)「地元事務所がこういうやり方で募っていることについて、いつから御承知でしたか」

首相「そういう文書(申込書)ということについては私はつまびらかには承知はしていなかったのでございますが、先ほど来申し上げておりますように、私の事務所が推薦を行う過程で、事務所が推薦するか否かを考えている方々について相談を受けた場合に私自身の意見を伝えたこともありましたし、また、私が把握した各界で活躍されている方々についても推薦するように意見を伝えたこともあった、こういうことでございます」

議員「この文書は見たことはなかったけれどもということですけれども、幅広く招待しているということ自体は、幅広く募っている、募集をしていると。これは募集しているわけですよね、募集を。推薦しているわけじゃないですよ、募集をしているんですよ、これは。募集しているということについてはいつから御存じだったんですか」

首相「私は、幅広く募っているという認識でございまして、募集しているという認識ではなかったのであります」

議員「私、もう日本語を今まで四十八年間使ってまいりましたけれども、募るというのは募集するというのと同じですよ。募集の募は募るという字なんですよ。総理がさっきから募っている募っていると言っているのは、募集しているということなんですよ。その認識がなく、募っているというお言葉を使っていたんですか。募集の募ですよね、募るは。違いますか」

首相「それはつまり、事務所が、いわば、今までの経緯の中において、それにふさわしい方々に声をかけている、そこで、それぞれが桜を見る会に参加をするかどうかということについて伺っている、そういう意味において、募るということを申し上げているところでございます」

議員「いや、ふさわしい方に声をかけているんじゃないですよ。これを見てくださいよ。コピーしてください、知人も友人も誘ってくださいと書いているんですよ。これが募るということなんじゃないんですか、やっていた実態は。(中略)実態は、ふさわしい方に声をかけているだけじゃなくて、知人や友人も含めて、総理は、どんどんどんどん誘ってくださいということで総理の地元の事務所はやってきたということじゃないですか」

首相「それにふさわしい方ということで募っているというような認識があったわけでございまして、例えば、新聞等に広告を出して、どうぞということではないんだろう、こう思うわけでございます」(中略)「いずれにいたしましても、今、文書、名簿は残っておりませんので確認のしようがないところでございます」

(第二〇一回国会　衆議院　予算委員会議録第三号、二〇二〇年一月二八日)

「広く募る」と「募集する」が違うことだと本気で「認識」していたかどうかは分かりませんが、同様の「国語的理解不能」の問題は、二日後の答弁にも登場しました。

一月三〇日の参議院予算委員会で、野党議員が、内閣府が各省に同会招待者の名簿提出を依頼した事務連絡文書に、行政機関の保有する情報の公開に関する法律(以下、「情報公開法」という)に基づき「(名簿は)開示請求の対象とされたことがありますので、この点を念頭に置かれた上で推薦されますようお願いいたします」と記されていると指摘し、さらに、二〇一九年一月三一日付けで、参議院自民党が改選議員あてに、招待者の申し込みを案内した文書に情報公開法に基づき「名簿全体を公開されることもあります」と記載されていることを示しました。これまで個人情報を盾に名簿の開示を拒んできた首相に対し、名簿は「公開が前提だ」と迫りました。これに対して、首相は「事務連絡で書いてあることも、開示請求の対象とされることもありますと、こう書いてあるわけでありまして、対象とされることもありますということと、開示、名簿全体を公開されるということとは、これ、請求の対象と、対象ですから、対象とされたということでありますから、そこは違うということだと思います」と答弁したのです(第二〇一回国会 参議院 予算委員会会議録第二号、二〇二〇年一月三〇日)。過去に開示の事実があった場合は、平等の観点から、当該文書は開示されなければなりません。何が何でも名簿の開示を避けたいことから、論理を犠牲にする答弁になったようです。

国会の審議は、言葉によって紡がれます。言葉の意味と論理が破綻すれば、そこには相互理解を可能にするコミュニケーション空間は成立しません。正攻法の理詰めの論理が通用しない歪んだ空間が出現しています。「自己の論理破綻を認めることができないほど論理思考ができない」ふり(?)をすれば責任を免れることができるということを、国会が喧伝する場になっているのです。論理による説得が不能になっているということです。

近代国家が運営されるプラットフォームが崩れつつあるように思えます。崩れてしまっては、その再建にはどれだけの時間がかかるか、計り知れません。プラットフォームの破壊は、議会制民主主義のそれぞれのアクターが、寄ってたかって掘り崩してきた結果です。プラットフォームの立て直しは、議会制民主主義のアクターが、政治プロセスの過程で自己改革で行うほかありません。それは、ギフトであった議会制民主主義を、中江兆民の言葉を借りれば、当事者みずからのものに「恢復する」ことにほかなりません。

エピローグ

自分の未来は自分で決める
——議会制民主主義を恢復する

1.「よきにはからえ」で、どうなった？

本書の冒頭で、階上(はしかみ)中学の梶原裕太さんの話をしました。梶原さんの言葉に「共感」した人も多くいたとも言いました。人には、他者のリアルな言葉に共感する力があります。しかし、梶原さんが自分の思いを言葉にして、それが放送を通じて公共空間に届けられ、人々がその言葉を聞かなければ、梶原さんの心に共感することはできなかったと思います。このことは政治の世界でも同じです。

議会制民主主義の仕組みでは、代表者の「共感力」が大事だとお話ししてきました。このことは、主権者が「よきにはからえ」という態度でも、代表者が主権者の気持ちを忖度(そんたく)してくれるから大丈夫だ、ということではありません。思いをリアルな言葉にして伝えないと、代表者には伝わりません。人の想像力は、それぞれの人の経験を超えることができません。代表者がどんなに「いい人」であったとしても、他者の声が届いていなければ、代表者は自分の経験値を基準に勝手に主権者の気持ちを推測し、「よきにはからった」つもりになります。代表者本位の「よきにはからえ」です。

第Ⅰ部の復習を少ししておきましょう。極々限られたお金持ちだけが政治を主導していた制限選挙の時代には、選挙人と代表者たる議員は同じ階層の人たちで、利害関係が一致していました。それだから「よきにはからえ」でも、選挙人にとって不都合がそれほどなかったかもしれません。こうした「一部の人たちの政治」から「みんなで決める政治」に変えるために、選挙権が拡大されました。普通選挙制が確立した今、選挙人は千差万別で、代表者の価値観や利害関係と選挙人のそれが一致していることなど、ありえません。そんなことを承知の上で、選挙による多数派は、自分たちが多数派であるという事実をもって、「自分たちの意見こそが、国民大多数の意見である」という想定で、政策を進めているのです。

英語民間試験導入が問題になった際、この入試改革を進めていた当時の文科大臣が、ツイッターに「サイレントマジョリティは賛成です」と書き込みました。文科大臣としては、「物言わぬ多数派は賛成」、つまり、「多くの人たちは入試改革に賛成しています」とでも言いたかったのでしょう。若者にとって「サイレントマジョリティー」は、欅坂46の歌が常識です。文科大臣の言葉は、高校生にとっては「非常識」極まりない、一言だったのでしょう。たちまちリツイートされ、多くの意見が寄せられました。「サイレントでごめんなさい。まさか賛成だと思われていたとは…大反対です」「賛成ではなく諦めの方が多いように感じられる。私もそのひとりですが勝手に解釈されるのには耐えられません」「#サイレントマジョリティは賛成なんかじゃない」(「〝サイレントマジョリティーは賛成?〟文科相と受験生の攻防」NHK NEWS WEB、二〇一九年九月二日)。

これがリアルな高校生の声でした。

その後の顚末(てんまつ)は、序章で述べたとおりです。どんなに共感力があっても、「知らない」ことは「なかった」ことになります。共感しようがないのです。時に、代表者は、勝手な「想像力」で、自らの判断を正当化するために、ありもしないことを「ある」と言い募ったりします。当事者が、「自分はそんなことを思っても、望んでもいない」と声に出さなければ、代表者が言っていることが「事実」になってしまいます。当事者自身は、自分たちのことが代表者によって勝手にそのような扱いになっているとは知らなかった、と言うかもしれません。しかし、自分が気づいていようといまいと、政治は性質上、この国に生きる人々すべてを巻き込みます。だからこそ、定期的な選挙によって、意向の確認が求められる仕組みになっているのです。

議会制民主主義では多数派が、現実の政治を担当しています。現状の政治に満足しているのであれば、多数派に投票すればよいのです。現状に不満があるときは、投票先を少数派

（反対派）に変えることになります。こうして、選挙を通じて責任が追及され、議会多数派は政権を去ることで、責任をとります。もっとも、その前提には、政権担当能力のある二大政党ないし二大政党ブロックが存在し、有権者に選択肢が用意されていなければなりません。

第Ⅱ部でお話しした一九九〇年代の選挙制度改革で導入された小選挙区比例代表並立制は、現状に不満がある場合に、多数派とは別の政権の選択肢を国民に提供することを目指すものでした。実際に、二〇〇九年に民主党政権が誕生し、本格的な政権交代が実現しました。しかし、民主党は党内ガバナンスの失敗から内部分裂し、二〇一二年一二月の衆議院議員選挙で大敗し、政権を去りました。そのとき大勝した自民党と公明党のブロックが、その後、参議院議員選挙、衆議院議員選挙で圧勝し続けています。現行の選挙制度は、与党の政党ブロックは求心力を強め、野党に遠心力として働いて、今や、一強多弱と呼ばれる政党状況が生まれました。

現在の多数派に対抗する政権の受け皿がないことへの不満は、よく耳にします。内閣支持の理由の第一位が、「ほかの内閣よりよさそうだから」という点にも表れています。多数派が相対的に支持されている状況を反映していると言えばそうなのですが、自分の地位を脅かすライバルがいなければ、緊張感が失われます。政権運営に緊張感が失われると、国民の声を聴き、国民にとってよりましな政策を立案して実行しようというインセンティブも働きません。批判を正面から受け止め、妥協を提示して、説得を試みる必要性もありません。多数派は、ひたすら自分の支持層を固めればよいという判断に傾きかねません。

選挙を棄権する人が五割近くいるのも、こうしたところに原因があるのかもしれません。社会学者の小熊英二さんは、三割が保守の固定票、二割がリベラルの固定票、五割の中道派が棄権という得票構造を描いています(小熊英二『私たちの国で起きていること――朝日新聞時評集』朝日新書、二〇一九年)。この分析に従えば、「三割の人のための政治」が行われていることになります。五割の人は、政治に期待できない、関心がもてないという悪循環に陥っています。そうした態度は、三：二：五の得票構図に変化をもたらしません。これは、三割の人が決めたことに、七割の人が従わざるをえない状況であり続けることを意味します。

こうした事態は、個々の議員の政治的実存を賭けた政治責任を峻厳(しゅんげん)に問うどころか、議会多数派＝政権が、政権交代の脅威にさらされることなく、選挙による「国民の選択」を口実にして、政策が失敗しても、政策の成果が上がらなくても、あるいは政策遂行に伴って国民の生活が困難になっても、結果責任を負わずに済ませることを許しています。

2. 何が起きているのかを知る

議会制「民主主義」である以上、全体からみれば、三割は少数派です。五割の中道派(ちゅうどうは)が無関心から政治ゲームに参加しないでいてくれることで、「多数派」になることができているのです。三割支持に基盤を置く政権にとって、中道派の人たちが選挙に参加して審判を下すことがいちばん恐ろしいはずです。「結局、選挙で勝てなければしようがない」という呪いの言葉があふれているのも、中道派の「あきらめ」を誘うためなのではないでしょうか。実際、与党ブロックに「選挙で勝てる」野党ブロックが存在していないのですから、選挙をしても無意味と思わせるだけの根拠があります。野党の側の責任です。

議会制民主主義において、選挙が重要なモメント(契機)であるというのは、その通りです。しかし、選挙の勝ち負けで議会制民主主義のすべてが決まる式の選挙原理主義的な考えで矮小化(わいしょうか)して、議会制民主主義のメカニズムを理解すべきではありません。国会に送り込まれた少数派が、政府を統制・監視する役割を果たすことを忘れてはいけません。少数派が行使する政府に対する統制・監視機能は、院内の多数決に左右されることなく、国民世論に訴えかけることができます。五割の中道派の人たちの関心と興味を喚起して、院外からの支持を取りつけることもできます。他方、政府は、本来であれば、選挙に参加していない五割の人たちを含む非支持層が納得するように説明責任を果たして、政策への理解と支持を取りつけなければならないはずです。五割の人たちが無関心であれば、少数派の野党による政府批判や政府の責任追及は、「なかった」扱いになります。全体の二割が相手ですから、おざなりの答弁で済ませて、十分な説明責任を果たさなくとも、政治責任を負わずにいることも可能です。逆に、五割の人が、少数派の政府批判に耳をそばだて、目を凝らして見ているとしたらどうでしょうか。より慎重で丁寧な政策遂行が期待できるのではないでしょうか。

中道派が、野党による責任追及を「知らない」でいるのは、ニュース報道で国会の活動が十分に有権者に伝えられていないことにも一因があります。真偽のほどは分かりませんが、報道機関が忖度して、そうした対応をとっているといわれています。国際NGO「国境なき記者団」が発表した、二〇一九年の「報道の自由度ランキング」で、日本は一八〇カ国中六七位、G7の最下位で、「顕著な問題あり」グループに分類されました。ちなみに、近年の最高位は、二〇一〇年、民主党の鳩山政権時代の一一位でした。

とはいえ、憲法は、国会審議「公開」の原則を定めています。国会の審議は、衆・参両院のHPで、インターネット中継されています。映像は雄弁です。時に、ニュース報道での忖度、印象操作の裏側を、国民の前に明らかにすることがあります。国会審議のハイライト場面の映像をSNSで拡散する活動や、街頭に持ち出してスクリーンに映し出し、道行く人に見てもらう「パブリックビューイング」活動が行われています。野党による問題点のまっとうな指摘や質疑に、閣僚や政府側の委員がどのように応答しているのか、一目瞭然で分かります。先に紹介しました「ご飯論法」も、こうした活動で知れ渡りました。あるいは、委員会審議においては、不自然な委員長の差配が野党議員の質疑の時間を浪費している光景まで、映像から知ることができます。これは、議事録の文字からは知る由もなかったことです。公開された国会審議の映像は、政府情報を曖昧なままにせず、十分に国民の間に知らしめ、国民による批評の対象となります。

国会議員のなかにも、自らの国会質疑の映像を街頭に持ち出し、直接市民の前に映像を流す活動を始めている人もいます。また、二〇一九年一一月の参議院予算委員会の野党議員の質疑で注目された「桜を見る会」問題では、野党による追及本部が発足し、官僚ヒアリングの模様が毎回インターネットで公開されて、第Ⅲ部で紹介したような事実が明るみに出されるに至りました。

審議の公開を通じて、国会内の少数派が世論と結びつき、世論の支持を背景に力を得ることができるのが、議会制民主主義の強みです。有権者の三割の人の支持による「みんなで決める政治」とはどのようなものなのか、何が起きているのか、主権者である国民が「知る」ことが、議会制民主主義における当事者性恢復（かいふく）の一歩です。「民」に知らしめないことが、為政者が安易に統治する術（すべ）です。国民が政策の実態や予算の使い道を「知る」ことが、「あきらめ」を誘う呪いの言葉から国民を解放します。何が起こっているのかを「知ること」は、国民の力になります。情報の自由な流れの確保が民主政治に資するというのは、国民の「知る権利」の保障が重要だからです。

そのためには、国会審議が単に公開されているだけでは不十分です。実際にそれをフォローしなければ、意味がないからです。多くの国民には、そのような時間も暇もありません。そうだからこそ、現在、国会パブリックビューイングを行う市民の活動や議員の街宣活動が活発化しているのです。国会での意思決定過程を映像として有権者に見せる活動は、多段階の場面で行われるよう工夫することが望まれます。機会を多元的・多角的に確保することで、ようやく、国会で何が行われているのかが、国民に知られるようになります。とりわけ、議員が対面で有権者に語りかける街宣活動は、議員の力量と人間力を有権者に示すものです。

こうした場面を通じて、有権者は議員・政党に親しみをもち、つながっていくはずです。

3．通訳者としての議員

議員は歳費を憲法上保障され（四九条）、国会法によって、「一般職の国家公務員の最高の給与額より少なくない歳費を受ける」（三五条）と決められています。国家公務員の最高位である事務次官級の報酬です。経済力のない人でも、国民の代表者として全体に奉仕する気概があれば、議員に立候補することができるよう担保する仕組みです。ベテランであろうと、新人であろうと、選挙で選ばれた以上、すべての議員は同格です。議長職など特別な職に就いている場合は除き、歳費は一律同額です。日本の議員は世界的にみても高給取りで、二〇一八年現在で、議員歳費は年額二一七一万九七九〇円です。これに、文書通信交通滞在費が一二〇〇万円、議員秘書手当約二六〇〇万円が支払われます（前掲・大山『政治を再建する、いくつかの方法』参照）。

この金額は、「いかにも高い」と思いますか。議員が、国会で質疑もせず、質問主意書も提出せず、時に聞くに堪えない不快なヤジを飛ばし、党議に従って唯々諾々（いいだくだく）と手上げ要員として存在しているだけなら、誠に申し訳のない働きぶりと言わざるをえません。議員報酬に関しては、いろいろな考え方があるでしょう。北欧並みの(低額な)報酬額であれば、もっと女性議員が増えるはずだという意見も聞きます。私は、議員がその職責にふさわしい働きをするのであれば、現在の報酬は「高くはない」と考えています。

そこで、議員としての職責は何なのかが問われることになります。このように言うと、その前に、そもそも「今は政党の時代じゃないの」、「個々の議員の働きを強調するのはどうかと思う」、といった疑問を呈する方もいるかもしれません。おっしゃる通り、現代政治の主要なアクターは、政党です。日本国憲法には政党に関する規定はないのですが、政党抜きに現代の政治を語ることはできません。つとに最高裁は、「憲法の定める議会制民主主義は政党を無視しては到底その円滑な運用を期待することはできないのであるから、憲法は、政党の存在を当然に予定しているものというべきであり、政党は議会制民主主義を支える不可欠の要素なのである。そして同時に、政党は国民の政治意思を形成する最も有力な媒体である」(最高裁一九七〇年六月二四日大法廷判決)という位置づけを与えています。こうした理念像が現実の政党に当てはまるかどうかは措(お)くとして、選挙制度においても、国会における会派の構成も、政党が単位になっています。

他方、小選挙区制の公認権と政党助成金の配分による党執行部の権力強化により、政党の集権化が進んだとはいえ、この仕組みに最も順応している自民党ですら、一枚岩ではありません(中島岳志『自民党――価値とリスクのマトリクス』参照)。個性的な議員の存在が、政党の新陳代謝を促し、国民意識の変化に適合するよう、政策が更新されます。そうであれば、個々の議員が有権者と日々接触することは、草の根の国民意識をくみ取るうえで貴重な情報をもたらします。このようにして個々の議員が中央にもたらす情報を手がかりに、政党は、総合力を発揮して国民本位の政策形成を行うことを期待されています。時にみられる街頭演説のヤジを封じ込めようとするような狭量さからは、国民の生活に根ざした政策のブラッシュアップを図ろうとする姿勢を、到底読み取ることはできません。「百害あって一利なし」です。

このように、政党活動の最前線で有権者に接するのは議員です。議員は、一方で選挙区の意思を反映しながら、他方で何が一般意思であるかを同僚議員との討論・説得の中で自己の良心に基づいて判断し、両者の乖離(かいり)を選挙区民への働きかけ(討論・説得)を通じて埋めてゆくという役割を果たします(前掲・高橋『立憲主義と日本国憲法』)。選挙によって政治責任を追及される(落選の憂き目を見る)のは、個々の議員です。議員は、実存をかけて決断し、政治責任を負う主体です。こうした議員のあり方が前提となって、議員と有権者との〈身体性〉を通じた相互コミュニケーションにより、政党の政策形成に重要な情報をもたらします。あるいは、有権者が政党の政策を理解するうえでも、フェイスツーフェイス・コミュニケーションを通じた所属議員による当該政党の政策の説明・解説は有益です。分からないこと、疑問に思うことがあれば、その場で議員に尋ねることができるからです。

以上のことをまとめると、こうなります。古典的代表制の本質は、選挙人に対する議員の独立宣言にありました。いったん切断された選挙人と議員の関係を再結合するのが、現代の議会制民主主義の仕組みです。有権者は、それぞれの利害に基づいて自由に投票を行います。議員は分散した有権者の利害を集約し、それを党に持ち寄って、党としての公共的な政策に高めることに寄与します。そのようにして出来上がった公共性を帯びた政策への支持を求めて、人々の暮らしの文脈(生活世界)に即して理解可能なように有権者に説明することも、議員の役割です。このように、議員は政治と生活世界とを往復する通訳者の役目を果たすのです。つまるところ、議員には、人々の中での熟議のイニシアチブをとる能力、多様な有権者に対する共感力、政策説明能力、峻厳な政治責任を引きうる資質や力量が問われます。議員に求められる職務の重さ、能力の高さ、人格の高潔さは並々ならぬレベルです。こうした条件をみたす人材であるなら、議員報酬は決して高すぎることはないと思います。

4. 循環プロセスとしての議会制民主主義

序章で紹介した図1(二六頁参照)を思い出してください。繰り返しになりますが、図1は、憲法が定める議会制民主主義のメカニズムを示しています。有権者が起点となっているのは、選挙によって国民のうちに現に存在するさまざまな意見が国会に反映され、民意が統治の仕組みにインプットされると想定しているからです。国会での公開の討議を経たのちに、多数決によって意思決定が行われ、法律として出力された政策が、内閣によって遂行されます。内閣によって遂行される政策に不満がある場合は、次の選挙で多数派を信任しないというかたちで、責任を追及します。こうした理解は、選挙から選挙までのスパンを想定していますが、実際の政治過程では、散発的な選挙に焦点化された議論になっています。こうした議論は、選挙制度によって生み出された多数派の支持を得ていることで、内閣の政策や統治を正当化することを許してきました。選挙原理主義が至上命題になってしまったからです。

これに対して、議員を政治と生活世界との通訳者ととらえる立場から、このメカニズムを当事者たる国民本位の循環型に読み替えることを提案したいと思います(図4)。これにより選挙を中心に展開される政治から、国民の意思形成が絶えず更新され続ける恒常的プロセスとしての政治への転換がはかられることになります。この想定の下で議員が国民代表者であるとされるのは、議員が民意の絶えざる更新プロセスに寄与し、民意を再活性化するからです。有権者は、未来の政権選択のために選挙で意思表明するだけではなく、

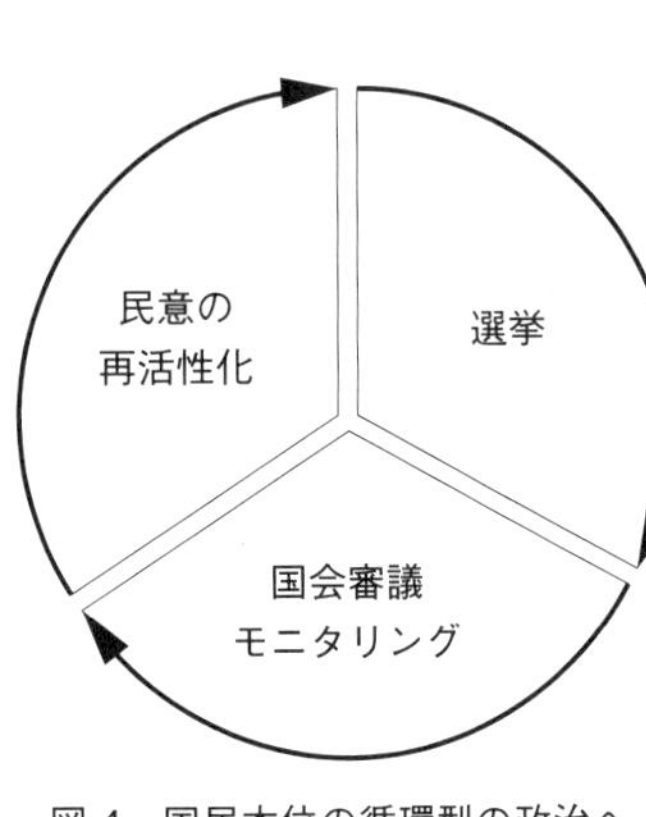

図4　国民本位の循環型の政治へ
(筆者作成)

議員の活動を通じて日常的に国会審議を知り、政策を批評し、政権の評価を行う主体となります。

この循環メカニズムにおいて、議員は国民代表として、国会という国権の最高レベルで選挙人団の多様な意見を表明し、法律の制定という形式で、国家の意思形成にあたっています。国会で制定された法律が、唯一民主的正統性をもつものとして、国民生活の規律となり、社会的改良を実現する政策の遂行を可能にします。国会によるこうした権力行使が可能である

のは、国民代表が討議(熟議)権を行使し、国会が公共的討議空間を独占し、それが国会優位の源泉になっているからにほかなりません。国会は、憲法によって授権された権能を駆使して、国政に関する情報を集約し、政策を可視化し、政策評価の要となっています。

国会が期待された役割を十全に果たすためには、国会審議が充実したものでなければなりません。第Ⅲ部で取り上げた与党による法案の事前審査の見直しや内閣の立法過程への関与など、国会の制度的改革の必要性は、多くの政治学者によって指摘されています。

5．政治回路の複線化

最大の難問は、このような理念をみたす議員をどうやって選出するかにあります。少なくとも、「べからず選挙法」ではなく、もっと自由な有権者と候補者との対話を可能にすべきですし、選挙運動期間も短すぎます。

アメリカの大統領選挙を念頭に置いているのですが、「熟議の日」という仕掛けの提案があります(ブルース・アッカマン、ジェイムズ・S・フィシュキン『熟議の日――普通の市民が主権者になるために』)。「熟議」は、討論を通じて意見を提出しあい、また自身の見解にも修正を加えてより良い合意を目指すものです。「熟議の日」は、「公職を目指す候補者をもっと集中し熟慮された仕方で選択する」ためのものです。第一段階では、的確な情報に基づいて「時代の重要な争点について普通の人たちが自分の声で公然と発言」を行います。第二段階では、それぞれの有権者が、候補者の選定にあたって「国の未来についての最終的な判断を秘密裡に投票」します。二段構えのプロセスを追求することで、代表制民主主義の強化を狙っています。具体的には、主要な国政選挙の二週間前に「熟議の日」と呼ばれる全国的祝日を設定します。登録済みの有権者が近隣の集会場に呼び集められ、小さな集団で一五名、より大きな集団で五〇〇名が、選挙運動によって提起された主要な争点を討議します。参加者には、一五〇ドル相当の日当が支払われます。「熟議の日」は、市民社会における非公式の熟議を、議会や大統領による公式の決定へと接続するための仕掛けとして働くことが期待されています。

みんなが集まって「熟議」するというと、なかなか発言しにくい雰囲気を感じます。先行して実施された討論型世論調査(一つの争点について真剣に熟議を行う機会を集団がもつ前と後の二度にわたり行われる、市民の無作為標本を通した調査)では、生産的なやり取りに普通の市民が著しく長けていることを示しました。十全な仕組みを用意できればよいのですが、ないものねだりはできません。まずは、もっと気楽な非公式な「雑談」「おしゃべり」「床屋談義」でもよいと思います。日常的に政治を語る場があれば、普段から何が重要な政策課題なのか、お互いに理解を深めることができ、より適確な候補者の選定を行うことが可能になります。こうした語らいの機会や場を議員ないし政党がそれぞれの地元に設けることで、「熟議」への一歩が始まるのではないでしょうか。

いま一つが、カウンター・デモクラシーです（ピエール・ロザンヴァロン『カウンター・デモクラシー――不信の時代の政治』）。選挙、議会制民主主義が信任のメカニズムであるのに対し、監視、阻止、審判の実践を通して、統治者に圧力をかける方式が、カウンター・デモクラシーです。権力を委ねる代表者には、常に、「不信」のまなざしを向ける必要があります。権力の逸脱や専横がみられたときは、さまざまな手段で抗議の意思を表明しなければなりません。それは緊急を要し、警鐘を鳴らすには選挙の時期まで待つことはできません。多くの人が集まって意思表示をする集会やデモは、その重要な形態です。これだけ多くの民意の直接の表出があることを、国民レベルで可視化するために、メディアによって正確に伝えられなければなりません。民主主義に対抗するという意味での「カウンター」ではなく、民主主義を補完し、それを支える役割を果たすものです。国会の少数派による行政監視・統制と呼応して、選挙独裁を監視し、阻止し、審判を下すのです。院内と院外で連携することで、相互に力を発揮することができるのです。

6．「みんなで決める政治」を動かす

憲法は、一人ひとりが人格的に自律した存在として最大限尊重されなければならないと定め、そのような存在であり続けるために、自らの善き生をまっとうする「幸福を追求する権利」を保障しています。何が幸福なのかは、人によって異なります。そうした領域は個人に委ねたうえで、お互いに共存するための共通ルールを設定する「みんなで決める政治」が必要になります。これが、対等な個人の対話による政治、議会制民主主義の精神です。一人ひとりはそれぞれ異なる考えをもつという想定が、相互の議論を必然化するからです。この議論に加わることが、主権者としての政治参加です。違う生き方をする他者と一緒にいることは、時に面白いことであり、時にしんどいことでもあります。そうだからこそ、憲法は、「みんなで決める政治」の領域と個人の決定に委ねる領域とを区分し、各人がつながりながらも、それぞれのつながりの程度を自分の判断で調整する仕組みを整えています。これが自

己情報決定権です。議会制民主主義は、そうした決まり事を定める憲法を共通の枠として、そこから逸脱しない約束で、「みんなで決める政治」を出力するメカニズムなのです。

議会制民主主義は、選挙制度によって、時に多数派に強く傾き、少数派による抑制が働きにくくなる時があります。それを「みんなで決める政治」に引き戻すのが、主権者の役目です。右肩上がりの経済成長が望めない時代です。放っておいても良くなる時代ではありません。一人ひとりの「今」を守り「明日」につなげていくために、「みんなで決める政治」によって実現しなければならないことはたくさんあります。それが一部の人に偏って作用するのでは、取り残される人が出てきてしまいます。自分たちの「今」と「明日」を守るためには、自分の未来を他人任せにしないことです。自分の未来を自分で決めるのが、主権者です。

経済学者の森嶋通夫（もりしまみちお）先生によれば、ある程度の精度をもって未来を予言できるそうです。例えば、二〇五〇年の日本はどうなっているか、どう予想したらよいのでしょうか。今のシステムが続くとすると、社会の中枢を占めるのは、五〇歳をはさんだ一〇年の幅をもった世代です。それは、現在の中学生、高校生、大学生です。その人たちが何を考え、どう成長していくかを考えれば、おおよそ見当はつくというのです。未来は、本書を手にしてくださった、ジュニア世代の皆さんにあるということです。

原稿を書いている途中で、板橋区の小学生が、区議会に陳情して、サッカーの練習のために公園や廃校の校庭の使用ルールの見直しを実現させたというニュースに接しました(「僕らが〝ちんじょう〟したわけ」NHK NEWS WEB、二〇一九年一二月一八日)。小学生は、意見表明を抑え込む「嫌な空気」を読みません。「サッカーの練習をしたい」という思いから、お互いに意見を出し合い、政治に対して「声を上げた」のです。「声を上げる」ことは自然なことだと、小学生が教えてくれました。変革の一歩は、日々の暮らしから生まれます。若い世代の生き方を選ぶ力が、未来を変えます。

エンタメ・読書案内

「政治って何だ?」から始めたい人に……

池上彰『14歳からの政治入門』(マガジンハウス、二〇一九年)
たかまつなな『政治の絵本——学校で教えてくれない選挙の話』(弘文堂、二〇一七年)

❖活字は苦手だけど、コミックは好き!な人には……

西炯子『恋と国会①』(小学館、二〇一九年)
古屋兎丸『帝一の國』(全一四巻)(集英社、二〇一一—一六年)

❖映画だったら……

一倉治雄監督『国会へ行こう!』(日本、一九九三年)
サラ・ガヴロン監督『未来を花束にして』(イギリス、二〇一五年)
ジェームス三木監督『善人の条件』(日本、一九八九年)
スティーブン・スピルバーグ監督『ペンタゴン・ペーパーズ——最高機密文書』(アメリカ、二〇一七年)
想田和弘監督『選挙』(日本、二〇〇七年)

藤井道人監督『新聞記者』(日本、二〇一九年)
藤岡利充監督『立候補』(日本、二〇一三年)
三谷幸喜監督『記憶にございません!』(日本、二〇一九年)
森達也監督『i―新聞記者ドキュメント―』(日本、二〇一九年)

❖活字OKの方に……

池井戸潤『民王』(角川文庫、二〇一九年)
ジェフリー・アーチャー『めざせダウニング街10番地』(永井淳訳、新潮文庫、一九八五年)
原田マハ『総理の夫』(実業之日本社文庫、二〇一六年)

本書の内容をより深めたい方に……

【全般】

岩波新書編集部編『18歳からの民主主義』(岩波新書、二〇一六年)
宇野重規『未来をはじめる――「人と一緒にいること」の政治学』(東京大学出版会、二〇一八年)
清水真人『平成デモクラシー史』(ちくま新書、二〇一八年)
長谷部恭男『憲法講話――24の入門講義』(有斐閣、二〇二〇年)

待鳥聡史『代議制民主主義――「民意」と「政治家」を問い直す』(中公新書、二〇一五年)
文部省『民主主義』(一九四八、一九四九年)(復刻版、径書房、一九九五年)

【第Ⅰ部】

青木康『歴史総合パートナーズ② 議会を歴史する』(清水書院、二〇一八年)
鹿島茂『怪帝ナポレオンⅢ世――第二帝政全史』(講談社学術文庫、二〇〇四年)
高橋和之『立憲主義と日本国憲法(第4版)』(有斐閣、二〇一七年)
高見勝利編『あたらしい憲法のはなし 他二篇』(岩波現代文庫、二〇一三年)
辻村みよ子・糠塚康江『フランス憲法入門』(三省堂、二〇一二年)
中江兆民『三酔人経綸問答』(桑原武夫・島田虔次訳・校注、岩波文庫、一九六五年)
橋場弦『民主主義の源流――古代アテネの実験』(講談社学術文庫、二〇一六年)
樋口陽一『憲法Ⅰ』(青林書院、一九九八年)
シィエス『第三身分とは何か』(稲本洋之助ほか訳、岩波文庫、二〇一一年)
トクヴィル『フランス二月革命の日々――トクヴィル回想録』(喜安朗訳、岩波文庫、一九八八年)
モンテスキュー『法の精神(上)』(野田良之ほか訳、岩波文庫、一九八九年)

ルソー『社会契約論』(桑原武夫・前川貞次郎訳、岩波文庫、一九五四年)

【第Ⅱ部】
大林啓吾・白水隆編著『世界の選挙制度』(三省堂、二〇一八年)
坂井豊貴『多数決を疑う——社会的選択理論とは何か』(岩波新書、二〇一五年)
砂原庸介『民主主義の条件』(東洋経済新報社、二〇一五年)
瀬畑源『公文書問題——日本の「闇」の核心』(集英社新書、二〇一八年)
辻村みよ子・三浦まり・糠塚康江編著『女性の参画が政治を変える——候補者均等法の活かし方』(信山社、二〇二〇年)
ダーヴィッド・ヴァン・レイブルック『選挙を疑う』(岡﨑晴輝、ディミトリ・ヴァンオーヴェルベーク訳、法政大学出版局、二〇一九年)

【第Ⅲ部・エピローグ】
ブルース・アッカマン+ジェイムズ・S・フィシュキン『熟議の日——普通の市民が主権者になるために』(川岸令和ほか訳、早稲田大学出版部、二〇一五年)
上西充子『呪いの言葉の解きかた』(晶文社、二〇一九年)

上西充子『国会をみよう――パブリックビューイングの試み』(集英社、二〇二〇年)
大山礼子『政治を再建する、いくつかの方法――政治制度から考える』(日本経済新聞出版社、二〇一八年)
全国民主主義教育研究会編『18歳からの選挙 Q&A』(同時代社、二〇一五年)
中北浩爾『自民党――「一強」の実像』(中公新書、二〇一七年)
中北浩爾『自公政権とは何か――「連立」にみる強さの正体』(ちくま新書、二〇一九年)
中島岳志『自民党――価値とリスクのマトリクス』(スタンド・ブックス、二〇一九年)
樋口陽一『リベラル・デモクラシーの現在――「ネオリベラル」と「イリベラル」のはざまで』(岩波新書、二〇一九年)
向大野新治『議会学』(吉田書店、二〇一八年)
山口二郎『民主主義は終わるのか――瀬戸際に立つ日本』(岩波新書、二〇一九年)
山本龍彦『おそろしいビッグデータ――超類型化AI社会のリスク』(朝日新書、二〇一七年)
スティーブン・レビツキー、ダニエル・ジブラット『民主主義の死に方――二極化する政治が招く独裁への道』(濱野大道訳、新潮社、二〇一八年)
ピエール・ロザンヴァロン『カウンター・デモクラシー――不信の時代の政治』(嶋崎正樹訳、岩波書店、二〇一七年)

あとがき

脱稿後、世の中の雰囲気ががらりと変わりました。二〇一九年に端を発した新型コロナウイルス感染症対策で、いま、人と人の交わりが急速にしぼんでいっているように思います。他方で、家族や友人さらには見知らぬ誰かの大切な命と、私たちが共存する社会を守る責任を、いま、誰もがかみしめているのではないでしょうか。

日本では、卒業式をはじめ、数多くの行事やイベントが中止になっています。休校で学校に行けなくなった子どもたちにSNS上で学習教材や運動プログラムを提供する、仕事をテレワークに切り替えるなど、それぞれの現場で助け合いや工夫が重ねられています。

しかし、個人でできることには限りがあります。バスや電車を乗り継いで職場に向かわなければならない方々が、たくさんいます。あるいは、行事やイベントの中止によって、仕事を失い、収入を断たれた人たちがいます。政治の出番です。

医療や介護の現場で、マスクや消毒液など必要な物資が足りないという切実な声が上がっています。マスクは中国に供給を頼っていたことが、絶対的な量の不足につながりました

（買い占めなども多少影響したかも知れませんが）。グローバリゼーションの恩恵を受けるだけでなく、リスクヘッジをどこまで考えるかが問われています。政治の課題です。それだけではありません。本来十分に足りているはずの、紙製品まで品不足になりました。お米までスーパーの棚から消えた時期もありました。SNSで誤った情報が拡散されたからです。

中央および地方の政府機関や議会には、本来、情報を集約し、ファクトチェック（真偽を検証すること）をする能力があります。政治的リーダーが分かりやすい言葉で国民に説明責任を果たすことが、いまほど必要な時はありません。議会制民主主義のメカニズムを利用すれば、政府の発する情報の意味内容について、議員が現在の状況に照らして質し、政府からより精度の高い情報を引き出すことができます。政府の答弁は、議員から批評のチェックを受けて、政府の責任を賭けた質の高い情報となるからです。このように、議会制民主主義のメカニズムは、情報を集中させて整理し、国民の日常に即した使い勝手の良い言葉に変換し、国民の疑問や不安を解きほぐすことに役立ちます。

もっとも、国民の側が、これまでの平時の政治のありようから、〈政治家＝嘘つき〉という見方しかできなかったとしたら、既存のメディアよりもSNSを信じるとしたら、議会制民主主義の活用は難しくなります。危機の時はなおさらです。その時は、議会制民主主義のシステムは、単なる「統治」のための道具、「統治」の民主的正統性を調達する手段に堕落します。議会制民主主義は、知恵と時間とお金をかけてつくり上げ、先人から受け継ぎ、今日まで維持してきた国民の資源です。そうであれば、自分たちの暮らしに役立つよう有効活用すべきです。本書では、そのような問題提起を行ったつもりです。

私は、二〇二〇年三月末で、大学教員を「卒業」します。一緒に大学を卒業する学生には、二〇一六年、私が担当した「基礎ゼミナール」で、一八歳選挙権の初の当事者として、選挙制度のあれこれを一緒に学び、考えてくれた二二人も含まれています。卒業祝賀会も中止になりましたので、お礼を申し上げることができないことが心残りです。あの楽しく愉快な経験がなかったら、本書を書くことができなかったと思います。四月からの新しいそれぞれの道を、大きな希望をもって進んでほしいと願っています。

また、本書の執筆に当たっては、憲法学の先輩や若い同僚たちの研究成果からたくさんの恩恵を受けました。一人ひとりお名前をあげることはできませんが、心から感謝いたします。ジュニア新書の性質上、専門書を参考文献にあげませんでしたが、巻末の「エンタメ・読書案内」には、古典を含め、ジュニア世代の皆さんに挑戦していただきたい本等をリストアップしてみました。ぜひ、手に取ってほしいと思います。

カガワカオリさんには、雄弁に語ってくれるイラストで、本書を強力にアシストしていただきました。ありがとうございました。

そして最後になりましたが、編集の労をおとりくださいました山下真智子さんには、格別のお世話をいただきました。「議会制民主主義についての本を書いてみませんか」——ジュニア新書編集部の山下さんからお声がけをいただいたのは、二〇一八年初夏のころです。執筆が遅れたのは私の責任ですが、その間、様々な出来事が目まぐるしく起こり、結果として本書のような構成になりました。企画段階から、構成・内容・表現の工夫に至るまで、山下さんの編集者としての経験とこまやかなお心遣いがなければ、本書を皆さんにお届けできなかったと思います。厚く御礼申しあげます。

二〇二〇年三月

糠塚康江

糠塚康江

1954年，静岡県生まれ．東北大学名誉教授．一橋大学大学院法学研究科後期博士課程単位取得退学．法学博士(一橋大学)．憲法学専攻．主な著書として，『パリテの論理』(信山社)，『現代代表制と民主主義』(日本評論社)，『フランス憲法入門』(辻村みよ子との共著．三省堂)．編著に『代表制民主主義を再考する――選挙をめぐる三つの問い』(ナカニシヤ出版)．共編著に『社会変動と人権の現代的保障』(信山社)，『女性の参画が政治を変える――候補者均等法の活かし方』(信山社)などがある．

議会制民主主義の活かし方
――未来を選ぶために　　岩波ジュニア新書 918

2020年5月27日　第1刷発行

著　者　糠塚康江（ぬかつかやすえ）

発行者　岡本　厚

発行所　株式会社 岩波書店
〒101-8002 東京都千代田区一ツ橋 2-5-5
案内 03-5210-4000　営業部 03-5210-4111
ジュニア新書編集部 03-5210-4065
https://www.iwanami.co.jp/

組版　シーズ・プランニング
印刷・三陽社　カバー・精興社　製本・中永製本

ISBN 978-4-00-500918-3　　Printed in Japan

岩波ジュニア新書の発足に際して

きみたち若い世代は人生の出発点に立っています。きみたちの未来は大きな可能性に満ち、陽春の日のようにひかり輝いています。勉学に体力づくりに、明るくはつらつとした日々を送っていることでしょう。

しかしながら、現代の社会は、また、さまざまな矛盾をはらんでいます。営々として築かれた人類の歴史のなかで、幾千億の先達（せんだつ）たちの英知と努力によって、未知が究明され、人類の進歩がもたらされ、大きく文化として蓄積されてきました。にもかかわらず現代は、核戦争による人類絶滅の危機、貧富の差をはじめとするさまざまな人間的不平等、社会と科学の発展が一方においてもたらした環境の破壊、エネルギーや食糧問題の不安等々、来るべき二十一世紀を前にして、解決を迫られているたくさんの大きな課題がひしめいています。現実の世界はきわめて厳しく、人類の平和と発展のためには、きみたちの新しい英知と真摯（しんし）な努力が切実に必要とされています。

きみたちの前途には、こうした人類の明日の運命が託されています。ですから、たとえば現在の学校で生じているささいな「学力」の差、あるいは家庭環境などによる条件の違いにとらわれて、自分の将来を見限ったりはしないでほしいと思います。個々人の能力とか才能は、いつどこで開花するか計り知れないものがありますし、努力と鍛練の積み重ねの上にこそ切り開かれるものですから、簡単に可能性を放棄したり、容易に「現実」と妥協したりすることのないようにと願っています。

わたしたちは、これから人生を歩むきみたちが、生きることのほんとうの意味を問い、大きく明日をひらくことを心から期待して、ここに新たに岩波ジュニア新書を創刊します。現実に立ち向かうために必要とする知性、豊かな感性と想像力を、きみたちが自らのなかに育てるのに役立ててもらえるよう、すぐれた執筆者による適切な話題を、豊富な写真や挿絵とともに書き下ろしで提供します。若い世代の良き話し相手として、このシリーズを注目してください。わたしたちもまた、きみたちの明日に刮目（かつもく）しています。（一九七九年六月）